Anette Guse *Cultural studies*
Magdalena Ozorowska *Grammar explanations*
Andrea Schwingshackl *Vocabulary*

A 2.1

MENSCHEN

Deutsch als Fremdsprache
Glossary XXL

Deutsch – Englisch
German – English

Hueber Verlag

5. 4. 3. | Die letzten Ziffern
2022 21 20 19 18 | bezeichnen Zahl und Jahr des Druckes.
Alle Drucke dieser Auflage können, da unverändert,
nebeneinander benutzt werden.
1. Auflage

Umschlaggestaltung: Sieveking · Agentur für Kommunikation, München
Zeichnungen: Michael Mantel, Barum
Layout und Satz: Sieveking · Agentur für Kommunikation, München
Druck und Bindung: Passavia Druckservice GmbH & Co. KG, Passau
Printed in Germany
ISBN 978-3-19-051902-6

Art. 530_17274_001_03

Contents

Lektion 1: Mein Opa war auch schon Bäcker.

1

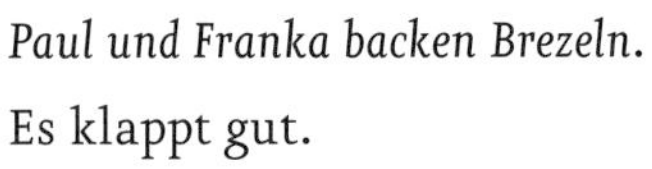

die Brezel, -n	*Paul und Franka backen Brezeln.*	*pretzel*
klappen	Es klappt gut.	to work, to work out, to come off
kompliziert	Paul findet Brezelnbacken kompliziert.	complicated
der Teig, -e	*Sie können mit dem Teig 30 Brezeln backen.*	*dough*

2

das Studium (Sg.)	Mir dauert das Studium zu lange.	studies

BILDLEXIKON

das Einrad, ¨-er	Viele Kinder fahren gern Einrad.	unicycle
das Fußballbild, -er	Ich habe als Kind Fußballbilder gesammelt.	football sticker
klettern	Klettern macht Spaß.	to climb
übernachten	Hast du als Kind mal draußen übernachtet?	to stay overnight; here: to sleep outdoors
das Skateboard, -s	*Kannst du Skateboard fahren?*	*skateboard*
die Süßigkeiten (Pl.)	*Kinder essen gern Süßigkeiten.*	*sweets*

AKTIVITÄTEN VON KINDERN

auf Bäume klettern

Sachen auf dem Flohmarkt verkaufen

zeichnen

Comics lesen

mit Puppen spielen

Witze erzählen

Computerspiele spielen

Geschichten erzählen

Süßigkeiten essen

draußen übernachten

Fußballbilder sammeln

Skateboard fahren

Einrad fahren

3

der Ausschnitt, -e	*Hören Sie einen Ausschnitt noch einmal.*	*section*
der Bäcker, - / die Bäckerin, -nen	Mein Opa war auch schon Bäcker.	baker
der Cousin, -s	Der Sohn von Pauls Tante ist sein Cousin.	cousin
der Neffe, -n	Der Sohn von meinem Bruder ist mein Neffe.	nephew
die Nichte, -n	Die Tochter von seiner Schwester ist seine Nichte.	niece
der Schwiegersohn, ¨-e	Der Mann von meiner Tochter ist mein Schwiegersohn.	son-in-law
der Schwiegervater, ¨-	Der Vater von meiner Frau ist mein Schwiegervater.	father-in-law
übergeben	*Mein Opa hat seine Bäckerei dann seinem Schwiegersohn übergeben.*	*to pass on*

TIPP Lernen Sie Wortpaare (feminin und maskulin).

die Nichte – der Neffe

4

die Zigarette, -n	Sind das deine Zigaretten?	cigarette

5

verrückt (sein)	Er war schon verrückt, mein Onkel Willi!	(to be) crazy
wachsen	Geh doch dahin, wo der Pfeffer wächst!	to grow

6

der/die Jugendliche, -n	Bist du als Jugendlicher oft tanzen gegangen?	teenager, adolescent
die Kindheitserinnerungen (Pl.)	*Familien- und Kindheitserinnerungen*	*childhood memories*
die Lieblingsdisco, -s	Das „Paradiso" war meine Lieblingsdisco.	favourite club
die Sekunde, -n	Sie haben 90 Sekunden Zeit.	second
das Wahrheitsspiel, -e	Spielen Sie das Wahrheitsspiel.	game of truth

7

auf·machen	Er hat die Bäckerei nicht aufgemacht.	to open
der Schluss: zum Schluss	Zum Schluss hat er sich ein Motorrad gekauft und ist nach Indien gefahren.	end: in the end

8

die Abstimmung, -en	Machen Sie eine Abstimmung.	vote

LERNZIELE

das Ereignis, -se	Aktivitäten und Ereignisse	event
die Familiengeschichte (Sg.)	Familiengeschichten erzählen: Also passt auf: ...	family history
die Geschichte, -n	Hören Sie die Geschichte über Onkel Willi.	story
streiten	Onkel Willi und sein Vater haben gestritten.	to argue

Lektion 2: Wohin mit der Kommode?

1

blöd	Umziehen? Das finde ich blöd.	stupid, silly
ein·richten	Ich richte gern Wohnungen ein.	to furnish
renovieren	Ich renoviere gern.	to renovate

2

diskutieren	Sie sollen nicht mehr diskutieren.	to discuss
die Kommode, -n	*Die Kommode ist schwer.*	*dresser*

BILDLEXIKON

die Wand, ⸚e	An der Wand hängen Bilder.	wall

3

das Fernsehgerät, -e	Das Fernsehgerät verstecke ich.	TV (set)
hängen	An der Wand hängen Bilder.	to hang
das Kissen, -	Auf dem Sofa liegen Kissen.	pillow, cushion
verstecken	Das Fernsehgerät verstecke ich im Schrank.	to hide

4

die Gemeinsamkeit, -en	*Wie viele Gemeinsamkeiten finden Sie?*	*similarity*
der Schreibtisch, -e	Das Bild hängt über dem Schreibtisch.	desk
der Vorhang, ⸚e	In meinem Zimmer hängen Vorhänge vor dem Fenster.	curtain

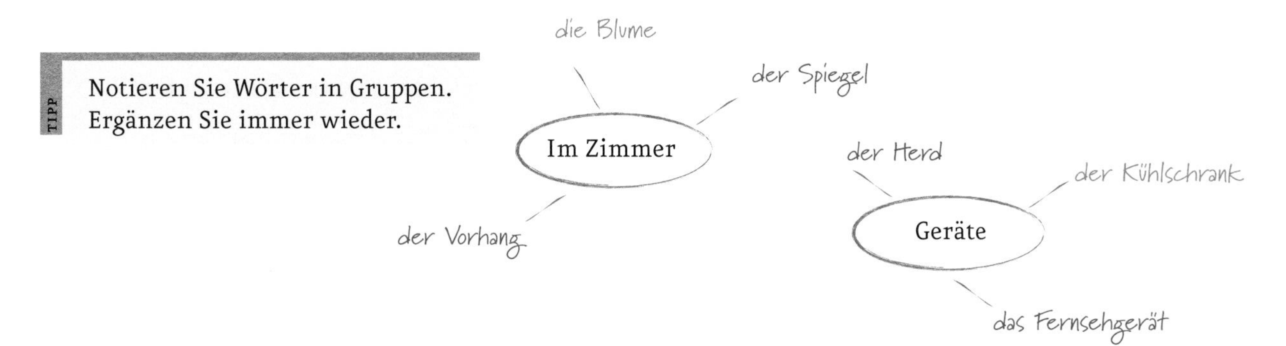

5

bis: bis hin	Vom Klassiker bis hin zur Kuschel-Ecke ist alles möglich.	to: right up to
das Deckenlicht, -er	Eine Lampe ist wärmer als Deckenlicht.	ceiling light
direkt	Das Licht ist wärmer als direktes Deckenlicht.	direct
die Domizil-Redaktion, -en	*Hier die wichtigsten Tipps der DOMIZIL-Redaktion: …*	*Domizil editorial team*
dunkel	Große Möbelstücke machen ein Zimmer dunkel.	dark
die Geschmackssache (Sg.)	Einrichten ist Geschmackssache.	matter of taste
das Heft, -e	Leg das Buch auf das Heft.	booklet, notebook
hell	Stellen Sie große Möbelstücke vor eine helle Wand.	bright
indirekt	*Das Licht ist indirekt.*	*indirect*
der Klassiker, -	*Das Wohnzimmer mit Sofa-Landschaft ist ein Klassiker.*	*classic*
die Kuschel-Ecke (Sg.)	*eine Kuschel-Ecke für Romantiker*	*cosy corner*
das Möbelstück, -e	Aufpassen müssen Sie mit großen Möbelstücken.	piece of furniture
das Regal, -e	Stellen Sie nicht zu viele Dinge auf ein Regal.	shelf
der Romantiker, - / die Romantikerin, -nen	*Eine Kuschel-Ecke ist für Romantiker.*	*romantic person*
die Sofa-Landschaft, -en	Vom Klassiker, dem Wohnzimmer mit Sofa-Landschaft, bis hin zur Kuschel-Ecke ist alles möglich.	sofa landscape
ungemütlich	nicht gemütlich = ungemütlich	uncomfortable
das Urlaubs-Souvenir, -s	Stellen Sie nur wenige Urlaubs-Souvenirs auf ein Regal.	holiday souvenir

6

der Spiegel, -	Wohin soll ich den Spiegel stellen?	mirror

8

das Werkzeug, -e	Etwas aus Haus oder Wohnung: das Werkzeug	tool

LERNZIELE

der Einrichtungs-tipp, -s	Einrichtungstipps geben: Stellen Sie eine Lampe auf den Tisch!	interior design tips
der Magazintext, -e	*Lesen Sie den Magazintext.*	*article in a magazine*
der Umzug, ¨-e	*Ihre Freunde helfen beim Umzug.*	*move*
die Wechselpräposition, -en	*an, auf, hinter, in, neben, über, unter, vor, zwischen sind Wechselpräpositionen.*	*two-way preposition*

Lektion 3: Hier finden Sie Ruhe und Erholung.

2

Grüezi mitenand (CH)	*„Grüezi mitenand" bedeutet „Guten Tag".*	*hello (in Swiss German)*
die Region, -en	Wie begrüßt man sich in den verschiedenen Regionen?	region
Tach	Auch „Tach" bedeutet „Guten Tag".	colloquial for hello

BILDLEXIKON

das Dorf, ¨-er	Machen Sie eine Fahrt durch die Dörfer.	village
der Frosch, ¨-e	*Sie hören gern Frösche quaken?*	*frog*
der Hügel, -	Machen Sie eine Fahrt über die Hügel.	hill
die Katze, -n	Auf dem Bauernhof gibt es viele Katzen.	cat
die Pflanze, -n	Sie sind offen für Pflanzen und Tiere am und im Wasser?	plant
der Strand, ¨-e	Wir sind den ganzen Tag draußen am Strand.	beach
das Ufer, -	Sie können zum Beispiel am Ufer entlang fahren.	riverbank
der Vogel, ¨	Sie hören gern Vögel singen?	bird

TIPP

Notieren Sie unterwegs neue Wörter.
Sie können auch Bilder malen.

TIERE

der Frosch, ¨-e

die Katze, -n

der Fisch, -e (A1)

der Hund, -e

der Vogel, ¨

3

aktiv	Sie können sportlich aktiv sein.	active
anders: anders gehen	Auf dem Öko-Wellness-Bauernhof gehen die Uhren anders.	different: to work in a different way
der Anfänger, - / die Anfängerin, -nen	Hier gibt es Unterricht für Anfänger.	beginner
die Anstrengung, -en	Sie können ohne Anstrengung den Blick auf den See genießen.	effort
die Ausrüstung, -en	*Bei uns bekommen Sie Karten, Tipps, Ausrüstung ...*	*equipment, gear*
außerdem	Außerdem haben wir fast immer Wind.	furthermore
der Bauernhof, ¨-e	Der Bauernhof liegt in der Nähe von Innsbruck.	farm
beraten	Wir beraten Sie gern.	to advise
die Beratung, -en	Sie können Karten und Fahrräder, aber auch Beratung bekommen.	advice, consulting
der Bergkräutertee, -s	*Genießen Sie unseren Bergkräutertee.*	*Alpine herb tea*
der Bodensee	*Velo-Mann – Ihr sympathischer Velovermieter am Bodensee*	*Lake Constance*
der Campingplatz, ¨-e	Sie übernachten im Zelt auf Campingplätzen.	camping site
der Einkaufsbummel (Sg.)	*Wenn Sie einen Einkaufsbummel machen wollen, fahren Sie einfach ins Inntal hinunter.*	*shopping trip*
enden	Die Tour endet auf dem Langen See.	to end, to finish
entlang	Sie können zum Beispiel am Ufer entlang fahren.	along
die Entspannung (Sg.)	Hier finden Sie Ruhe und Entspannung.	relaxation
die Erholung (Sg.)	Hier finden Sie Ruhe, Entspannung und Erholung.	recovery, recreation
die Erfahrung, -en	Du hast die Motivation, wir haben die Erfahrung.	experience
der Extra-Service (Sg.)	*Velo-Mann, der Velovermieter mit dem Extra-Service*	*extra-service*
der/die Fortgeschrittene, -n	*Hier gibt es Unterricht für Anfänger und Fortgeschrittene.*	*advanced*
der Großstadt-Fan, -s	*Sie sind auch Großstadt-Fan?*	*city lover*
hellgrün	Wandern Sie über hellgrüne Wiesen.	light green
hinunter	*Fahren Sie ins Inntal hinunter.*	*down*
ideal	*Unsere Segel- und Surfschule ist der ideale Ort für dich.*	*ideal*
das Inntal	*Fahren Sie einfach ins Inntal hinunter.*	*Inn Valley*
der/das Kajak, -s	*Fahren Sie mit dem Kajak vom Spreewald bis nach Berlin.*	*kayak*
das Kite-Surfen	*Du möchtest Kite-Surfen lernen.*	*kite surfing*
die Landschafts- und Städtereise, -n	Möchten Sie eine Landschafts- oder eine Städtereise machen?	landscape trip and city break

die Motivation, -en	*Du hast die Motivation, wir die Erfahrung.*	*motivation*
der Naturliebhaber, - / die Naturliebhaberin, -nen	*Sind Sie Naturliebhaber?*	*nature lover*
der Öko-Wellness-Bauernhof, ¨-e	*Auf dem Öko-Wellness-Bauernhof gibt es keine Termine.*	*ecotourism farm*
offen (sein)	Sie sind offen für die Landschaft?	(to be) open
das Original-Heudampfbad, ¨-er	*Sie dürfen unsere Original-Heudampfbäder genießen.*	*original hay steam bath*
quaken	*Sie hören gern Frösche quaken?*	*to croak*
das Salzhaff, -e oder -s	*Komm doch gleich zu uns nach Pepelow am Salzhaff.*	*Salzhaff (part of the bay of Wismar in northern Germany)*
die Schweizer Alpen (Pl.)	*Sie sehen im Süden die Schweizer Alpen.*	*Swiss Alps*
die Segel- und Surf-Schule, -n	*Unsere Segel- und Surfschule ist der ideale Ort für dich.*	*sailing and surfing school*
der Spreewald	*Fahren Sie vom Spreewald bis nach Berlin.*	*Spree Forest*
der Stadtbummel (Sg.)	*Sie genießen gern mal einen Stadtbummel?*	*stroll around town*
Stopp	Zu viel Stress? Alles zu schnell? Stopp!	stop
das Superangebot, -e	*Wir haben ein Superangebot für Sie.*	*super offer*
die Surf-Mode	*Du bekommst bei uns die neueste Surf-Mode.*	*surf-fashion*
der Top-Preis, -e	*Du bekommst die neueste Surf-Mode zu absoluten Top-Preisen.*	*top price*
die Tour, -en	*Wir kennen alle Touren am Bodensee.*	*tour*
die Velo-Tour, -en	*Es gibt viele Velo-Touren am Schweizer Bodensee.*	*bike tour*
der Velovermieter, -	*Velo-Mann – Ihr sympathischer Velovermieter am Bodensee*	*rent-a-bike service*
der Wanderer, - / die Wanderin, -nen	Wanderer wandern gern.	walker, hiker
die Wanderung, -en	N&K-Reisen bietet eine Wanderung auf der Spree an.	hike
das Wasserwandern	Wasserwandern auf der Spree – ein Superangebot	water touring, river tourism
der Werbetext, -e	*Überfliegen Sie die Werbetexte.*	*advertising text*
worauf	Worauf wartest du noch?	here: What are you waiting for?

4

die Mode, -n	Du bekommst bei uns die neueste Mode.	fashion

5

die Mitte, -n	In der Mitte ist ein See.	middle

6

in: in sein	Kite-Surfen ist gerade in.	in: to be in fashion
das Stichwort, ¨-er	*Notieren Sie Stichwörter.*	*keyword, catchword*
der Trend, -s	Das liegt im Trend.	trend

7

die Geschäftsidee, -n	Ihre Geschäftsidee: Was für Reisen wollen Sie anbieten?	business idea
der Reiseveranstalter, -	*Reiseveranstalter bieten Reisen an.*	*tour operator*
der Rodel,-	*Ich finde „Ski und Rodel gut" besser.*	*sledge*
die Schlittenfahrt, -en	*Wir bieten Schlittenfahrten an.*	*sleigh ride*
der Skihase, -n	*Unsere Firma heißt „Skihasen".*	*ski bunny*
der Skikurs, -e	*Wollt ihr Skikurse anbieten?*	*skiing lesson*

LERNZIELE

aus·drücken	*Wünsche ausdrücken: Ich würde am liebsten … buchen.*	*to express*
bewerten	*etwas bewerten: Die Idee gefällt mir überhaupt nicht.*	*to evaluate*
buchen	Ich würde am liebsten einen Surfkurs buchen.	to book
touristisch	*touristische Werbebroschüren*	*touristy*
überhaupt: überhaupt nicht	Mir gefällt das Angebot überhaupt nicht.	after all: not at all
die Vorliebe, -n	*Vorlieben und Wünsche: Ich würde am liebsten…*	*preference*
die Werbebroschüre, -n	*Lesen Sie die Werbebroschüre.*	*advertising brochure*

MODUL-PLUS LESEMAGAZIN

1

50er-Jahre	Meine Großeltern sind in den 50er-Jahren nach Deutschland ausgewandert.	in the 1950s
aus·wandern	*Sie sind nach Deutschland ausgewandert.*	*to emigrate*
besitzen	Meine Großeltern besitzen ein kleines Hotel.	to own
BMW (Bayerische Motorenwerke)	*Mein Großvater hatte einen tollen Job bei BMW.*	*BMW (Bavarian Motor Works)*
das Börek, -	*Oma Pinar macht die besten Börek.*	*Börek (filled pastries)*
erraten	Habt ihr es erraten?	to guess
der Hautarzt, ¨-e / die Hautärztin, -nen	Papa ist von Beruf Hautarzt.	dermatologist
die Medizin (Sg.)	Meine Mutter hat Medizin studiert.	medicine
mütterlicherseits	*Und nun zu meiner Familie mütterlicherseits: …*	*on my mother's side*

stolz (auf)	Ich bin sehr stolz auf meine Familie.	proud of
väterlicherseits	*Meine Großeltern väterlicherseits leben in der Türkei.*	*on my father's side*
verbringen	Oft verbringen wir unseren Urlaub in der Türkei.	to spend
der Zwilling, -e	*Mein Cousin und meine Cousine sind beide 13 Jahre alt, sie sind Zwillinge.*	*twins*

MODUL-PLUS FILM-STATIONEN

1

das Jobangebot, -e	Sie hat ein tolles Jobangebot bekommen.	job offer
der Schlüsselbund, -e	*Sie hat den Schlüsselbund auf der Straße gefunden.*	*set of keys*
der Schlüsseldienst, -e	*Sie brauchen keinen Schlüsseldienst.*	*locksmith*

2

der Glücksbringer, -	*Haben Sie einen Glücksbringer?*	*lucky charm*
das Pech (Sg.)	Das bedeutet sieben Jahre Pech.	here: misfortune, bad luck
die Scherbe, -n	*Scherben bringen Glück.*	*shard*

MODUL-PLUS PROJEKT LANDESKUNDE

1

emigrieren	*Die Familie emigriert 1938 in die USA.*	*to emigrate*
der Kaufmann, Kaufleute	*Ihr Vater ist ein Lübecker Kaufmann.*	*merchant, trader*
die Literatur, -en	*1929 bekommt Thomas Mann den Nobelpreis für Literatur.*	*literature*
der Nobelpreis, -e	*Thomas Mann bekommt den Nobelpreis für seinen Roman „Buddenbrooks".*	*nobel prize*
der Professor, -en / die Professorin, -nen	Thomas Mann heiratet die Tochter eines Münchner Professors.	professor
der Roman, -e	*Romane von Mann sind zum Beispiel „Buddenbrooks" oder „Doktor Faustus".*	*novel*
der Schriftsteller, - / die Schriftstellerin, -nen	Drei der Kinder werden auch Schriftsteller.	author
der Untertan, -en	*„Der Untertan" ist ein Roman von Heinrich Mann.*	*subject*

2

das Heimatland, ¨er	Wählen Sie eine Familie aus den deutschsprachigen Ländern oder aus Ihrem Heimatland.	home country

MODUL-PLUS AUSKLANG

1

der Gartenzwerg, -e	*Wer hat denn diesen Gartenzwerg ins Regal gestellt?*	*garden gnome*
die Gartenzwergfrau, -en	*Ich hatte sogar eine Gartenzwergfrau.*	*female garden gnome*
die Gartenzwergin, -nen	*= Gartenzwergfrau*	*female garden gnome*
der Gartenzwergmann, ¨-er	*= Gartenzwerg*	*male garden gnome*
das Puppenhaus, ¨-er	Gartenzwergin Berta liegt in dem Puppenhaus.	doll's house
die Unterwelt, -en	*Schon lange steht auch Walter in der „Unterwelt" (= im Keller).*	*underworld*

Grammar Explanations

Lektion 1: Mein Opa war auch schon Bäcker.

Possessive pronouns in plural

Possessive pronouns in plural describe the relationship to *wir*, *ihr* and *sie / Sie*.

wir → unser / e
Das sind **unser** Opa Max und **unsere** Oma Ulla. — *This is our grandpa Max and our grandma Ulla.*

ihr → euer / eure
Woher kommen **euer** Opa und **eure** Oma? — *Where do **your** grandpa and grandma come from?*

sie → ihr / e
Ihr Onkel und **ihre** Tante waren Bäcker. — ***Their** uncle and aunt were bakers.*

Sie → Ihr / e
Herr Bauer, wohnen **Ihre** Neffen auch in Berlin? — *Mr Bauer, do **your** nephews live in Berlin as well?*

Possessive pronouns				
	wir	ihr	sie	Sie
• Opa	unser Opa	euer Opa	ihr Opa	Ihr Opa
• Baby	unser Baby	euer Baby	ihr Baby	Ihr Baby
• Tante	unsere Tante	eure Tante	ihre Tante	Ihre Tante
• Neffen	unsere Neffen	eure Neffen	ihre Neffen	Ihre Neffen

Possessive pronouns in nominative, accusative and dative case

Possessive pronouns change according to the noun's gender, number and case.

nominative:
Das ist **unser** Opa und **sein** Garten. — *This is **our** grandpa and **his** garden.*

accusative:
Ich liebe **unser**en Opa, aber ich mag **sein**en Garten nicht so gern. — *I love **our** grandpa, but I don't like **his** garden so much.*

dative:
Unser Opa und unsere Oma arbeiten viel in ihrem Garten. — *Our grandpa and our grandma work a lot in **their** garden.*

Possessive pronouns			
	nominative	accusative	dative
	Das ist / sind...	*Siehst du...?*	*mit ...*
● Opa	mein Opa	meinen Opa	mein**em** Opa
● Baby	sein Baby	sein Baby	sein**em** Baby
● Tante	unsere Tante	unsere Tante	unser**er** Tante
● Neffen	eure Neffen	eure Neffen	eur**en** Neffen

Verbs in Perfekt

The German past tense **Perfekt** is used **to speak** about the past. This tense is a compound of a conjugated auxiliary verb **haben** or **sein** and a **past participle**. The auxiliary and the past participle form a sentence bracket.

Er **hat** als Kind oft mit Autos **gespielt**? *As a child he played with cars a lot.*

Conjugated auxiliary verb — Past participle

The same German sentence in **Perfekt** can be translated in more than one tense in English (depending on the context).

„Ich habe Fußball gespielt." can mean:
→ I played football.
→ I've played football.
→ I was playing football.
→ I have been playing football.

Verbs in Imperfekt / Präteritum

Präteritum is a simple, not compound past tense and is usually used for **writing** texts, articles or books. However, there are verbs that are used to speak about the past in **Präteritum** rather than in **Perfekt**. Most important are the auxiliary verbs **haben** and **sein**.

Rather than:

Ich **habe** viel Arbeit **gehabt** und **bin** nicht auf der Party **gewesen**. *I've had a lot of work and I wasn't at the party.*

We would say:
Ich hatte viel Arbeit und war nicht auf der Party.

Grammar Explanations

Lektion 2: Wohin mit der Kommode?

Wechselpräpositionen

Wechselpräpositionen (*wechseln = to change, exchange, switch or shift*) can be called "two-way prepositions". They are not followed by only one grammar case, but depending on the context **either** by the **dative** or **accusative case.**

Wechselpräpositionen *and dative case*

Two-way prepositions will be followed by the **dative case** if the phrase can answer the question **Wo?** (*Where?*):

auf (*on, on top of sth.*)
Das Buch liegt **auf dem** Tisch. — *The book is lying on the table.*

an (*at, on → vertical surface or ceiling*)
Ich sitze **am** (**an dem**) Tisch. — *I am sitting at the table.*

in (*in, inside*)
Das Café ist **im** (**in dem**) Stadtzentrum. — *The café is in the city centre.*

hinter (*behind, in the back of*)
Der Parkplatz ist **hinter dem** Hotel. — *The parking space is behind the hotel.*

neben (*next to*)
Die Bank ist **neben der** Post. — *The bank is next to the post office.*

vor (*in front of*)
Mein Auto ist **vor dem** Haus. — *My car is in front of the house.*

unter (*under, beneath*)
Der Mann steht **unter der** Brücke. — *The man is standing under the bridge.*

über (*above, over, across*)
Der Kalender hängt **über dem** Schreibtisch. — *The calendar is hanging above the desk.*

zwischen (*between → either two nouns in dative case or a noun in plural dative form needed!*)
Die Post ist **zwischen der** Polizei und **dem** Café. — *The post office is between the police station and the café.*

Wechselpräpositionen *and accusative case*

Two-way prepositions will be followed by the **accusative case** if the phrase can answer the question **Wohin?** (*Where to?*):

auf (*on, on top of sth.*)
Sie legt das Buch **auf den** Tisch. — *She's putting the book on the table.*

an (*at, on → vertical surface or ceiling*)
Ich setze mich **an den** Tisch. — *I take a seat at the table.*

in (*in, (in)to*)
Ich gehe **ins** (**in das**) Café. — *I'm going to the café.*

hinter (*behind, in the back of*)
Sie stellt ihr Fahrrad **hinter das** Haus. — *She puts her bike behind the house.*

neben (*next to*)
Er setzt sich **neben seinen** Bruder. — *He takes a seat next to his brother.*

vor (*in front of*)
Maria stellt ihre Schuhe **vor die** Tür. — *Maria puts her shoes in front of the door.*

unter (*under, beneath*)
Der Hund legt sich **unter das** Sofa. — *The dog is lying down under the sofa.*

über (*above, over, across*)
Max hängt den Kalender **über den** Schreibtisch. — *Max is hanging the calendar above the desk.*

zwischen (*between → either two nouns in accusative case or a noun in plural accusative form needed!*)
Das Kind setzt sich **zwischen seine** Mutter und **seinen** Vater. — *The child takes a seat between his mother and father.*

Verbs followed by two-way prepositions

There are certain verbs indicating which case will follow.

"Dynamic verbs" refer to the **movement in a particular direction** or **towards a destination**. They are followed by a preposition and the accusative case.

"Static verbs" refer to someone or something **being in one place** or **movement within a confined space** (like swimming, dancing). They are followed by a preposition and the dative case.

Dynamic verbs + accusative case (→ Where to?)	Static verbs + dative case (→ Where?)
stellen (*to put sth. in a standing / vertical position*) Ich stelle die Vase auf den Tisch.	**stehen** (*to stand*) Die Vase steht auf dem Tisch.
(sich) setzen (*to sit down or move into the sitting position*) Er setzt sich auf den Stuhl.	**sitzen** (*to sit*) Er sitzt auf dem Stuhl.
hängen (*to hang sth. somewhere*) Wir hängen das Bild an die Wand.	**hängen** (*sth. is hanging somewhere*) Das Bild hängt an der Wand.
(sich) legen (*to lie down, to put sth. in a horizontal position*) Sie legt das Buch auf den Tisch.	**liegen** (*so. or sth. is in the lying / horizontal position*) Das Buch liegt auf dem Tisch.

Grammar Explanations

Lektion 3: Hier finden Sie Ruhe und Erholung.

The verb gefallen

The verb **gefallen** means to like (or not like) something or it can mean that someone is pleased (or not) with something. It is used to express opinions.

Sentences with **gefallen** might be confusing because the person or thing that *is being liked* will be **the subject** of the sentence.

Die Idee gefällt mir. — *I like the idea. / The idea pleases me.*

Subject

The second translation is not very common but helps to understand the structure better.

Word formation with -er and -ung

Many **nouns** can be formed **from verbs** by adding **-er** to their stem:

mieten (*to rent*)
miet-en + -er → der Miet**er** (*a tenant*)

Another way of **forming nouns from verbs** is done by adding **-ung** to their stem:

ordnen (*to put in order, to arrange, to tidy*)
ordn-en + -ung → die Ordn**ung** (*order, tidiness*)

It's possible to form nouns from some verbs in **both ways**:

wandern (*to hike*)
wander-n + -er → der Wander**er** (*a hiker*)
wander-n + -ung → die Wander**ung** (*a hike, walking tour*)

Bauhaus and the invention of modern design

Many ideas of modern-style living, such as bright rooms with big windows, clean lined "floating" furniture, and sleek design objects marked by geometrical shapes, originated in the Bauhaus (1919-1933), the most influential school of architecture, design and art in the 20th century. Founded in Weimar after the First World War by German architect Walter Gropius, the Bauhaus' ideal was to unify art, crafts and technology. Gropius wanted to do away with the separation between fine arts and applied arts and to create an architecture that modernized society in order to reflect the new era dominated by machines, radio and fast cars. The school's principles were centered on functional, minimalist design, and on developing high-end functional products with artistic merit. During its heyday in Dessau between 1925 and 1932, the school's curriculum encompassed architecture, furniture, ceramics, metalwork, theatre, painting, photography, and graphics. Artists such as Kandinsky – the inventor of abstract art – Itten, Feiniger, Klee, Moholy-Nagy and Schlemmer taught there. The educational concept was oriented towards hands-on learning in workshops where students were encouraged to experiment with material possibilities.

Various iconic chair models, including the Wassily chair by Marcel Breuer and the Barcelona chair by Mies van der Rohe, embody the design aesthetics of the Bauhaus. Breuer's cantilever, leading the way for modern stackable chairs, became a classic in modern dining room and office chairs, and is still available and emulated by mass-market furniture companies. Breuer innovatively used tubular steel as frame for his chairs, thus inventing the tubular furniture so ubiquitous today. A former student of the Bauhaus school, Marianne Brandt designed the lighting fixtures for the Bauhaus building in Dessau, and both her sparse lamps and her elegant teapot best illustrate the use of basic forms such as the circle, globe and square in Bauhaus design. Following the Bauhaus philosophy, Marianne Brandt worked with modern industry, and her household objects such as tea and coffee services, lamps and ashtrays were mass-produced, ushering in the era of industrial design. Her work is still produced today.

When Bauhaus artists emigrated after the closure of the Bauhaus school in the Nazi period, the school's concepts spread to North America and Israel. Mies van der Rohe, the last director of the Bauhaus school, continued his work in Chicago, while Gropius and Breuer taught at Harvard University. Today, the original Bauhaus building in Dessau, with its impressive glass curtains and typography free of ornament, provides tours, exhibitions, and special events, while the Bauhaus archive in Berlin, the school's location during its last year, is a research center and a Museum of Design housing the world's most comprehensive collection of Bauhaus artifacts and documents. The Bauhaus leaves its main legacy in design products that are popular with consumers to this day and in the international prevalence of steel and glass building construction.

Cultural Studies

Rügen at the Baltic Sea

Germany's largest island Rügen, located off the Pomeranian coast in the Baltic sea, is an attractive seaside destination that draws vacationers and visitors alike for its sandy beaches, its stunning chalk cliffs and its historic resort architecture. The island is linked to the mainland by road and railway from the Hanseatic city of Stralsund, the gate to Rügen. Famously immortalized by the 19th century German Romanticist landscape painter Caspar David Friedrich the chalk cliffs on Rügen and the Jasmund National Park are now parts of a UNESCO World Heritage Site. The cliffs can best be admired from the water, during a ride on one of the many tour boats.

Bathing in the sea became en vogue since 1875 and several seaside resorts began to develop, among which Binz is still the largest and most magnificent. In its eventful history as a Baltic resort during the German empire through to the Nazi and GDR era, Binz' splendor was always recognized. After Germany's reunification, tourism in Binz increased, many mansions were restored, facilities modernized and a large new pier was built. Apart from the natural scenery, the pier, boardwalk and seafront, as well as the spa-house, attract visitors.

On the beach, sunbathers can rent a *Strandkorb* (roofed wicker beach chair) which not only offers protection from wind and sun, but a cozy and typical way to spend time at the beach. A unique German piece of beach furniture, it was invented in 1930 by the basket weaver Wilhelm Bartelman upon request by a rheumatic lady to create a comfortable seating accommodation. The popularity of the *Strandkorb* at both the Baltic and the North Sea is living proof of its success story. A popular souvenir from Rügen is jewellery made of amber – fossilized tree resin – which is common in the Baltic region.

National parks in Germany, Austria and Switzerland

The Bavarian Forest is the oldest and largest German National Park with a total area of 243 km^2. Together with the adjacent Czech national park Sumava, with over 900 km^2 they contain the largest protected forest area in central Europe. Besides hiking and enjoying nature, a trip to the Bavarian Forest provides many touristic sites of interest.

In Frauenau, the second largest "Glass city" after Zwiesel, you can explore both the modern glass industry and the ancient tradition of mouth-blown and manufactured glass. You can watch a glassmaker at work and even can try to make one of the popular glass bulbs for garden decoration. Wine glasses, glass merchandise and exclusive crystal glass objects can be bought at one of the many showcases of renowned glass works companies. A glass museum, a glass sculpture garden, and an art centre (Bildwerk Frauenau) offering glass courses and workshops in painting, printing, wood and ceramic sculpture are additional attractions.

The goal of National parks and conservation areas is to preserve nature with no or little influence from mankind. In Austria and Switzerland there is a division between national parks, biosphere reserves, conservation areas and nature habitats with varying degrees of restrictions and limitations of human intervention. Recreation and environmental education of visitors is an objective that is fostered with consideration for nature.

Austria has six official National parks, where nature lovers are allowed to explore the unspoiled countryside by hiking or bike riding. The National park *Oberösterreich-Kalkalpen* for example offers the biggest woodland area of Austria aboveground and a fascinating cave system underground. Besides the impressive woods, canyons, lakes and waterfalls are also part of this mountainous area, and wildlife enthusiasts get their money's worth when watching red deer during rutting season.

Switzerland has had one big National park in 1914, which is at the same time the biggest conservation area in the country and the oldest one in the Alps. Several thousand animals and plant species can be discovered, and ten years ago, bears were reintroduced to the area.

The park's visitor's center gives people the possibility to learn more about the history of the park and where to see places where marmots and other animals live.

Lektion 4: Was darf es sein?

1

die Dose, -n	drei Dosen Thunfisch	tin, can
der Einkaufszettel, -	Sehen Sie den Einkaufszettel an.	shopping list
je	je eine grüne und eine rote Paprika	each
das Kilo, -s	ein Kilo Weintrauben	kilo
die Knoblauchsalami, -(s)	*200 g Knoblauchsalami*	*salami spiced with garlic*
der Liter, -	3 Liter normale Milch	litre
die Packung, -en	*eine Packung Tee*	*package*
der Senf (Sg.)	*2 Gläser Senf*	*mustard*
die Weintraube, -n	*ein Kilo Weintrauben*	*grape*

2

hungrig	Ich gehe nie hungrig einkaufen.	hungry
satt	Ich bin nicht hungrig, ich bin satt.	full
sonst	Ich gehe nie hungrig einkaufen, denn sonst kaufe ich zu viel.	else, otherwise

TIPP Notieren Sie Gegensätze. hungrig – satt

BILDLEXIKON

die Banane, -n	Kauf bitte ein Kilo Bananen.	banana
die Birne, -n	Die Birnen sind heute im Angebot.	pear
die Bohne, -n	Letzten Monat habe ich für drei Personen zwei Kilo Bohnen gekauft.	bean
das Bonbon, -s	eine Tüte Bonbons	candy, sweet
die Cola, -s	eine Flasche Cola	cola
der Eistee (Sg.)	4 Flaschen Eistee	ice tea
der Knoblauch (Sg.)	*Salami mit Knoblauch schmeckt gut.*	*garlic*
das Mehl (Sg.)	Für Brot und Kuchen brauchen wir Mehl.	flour
der/die Paprika, -	*Ich nehme eine grüne Paprika.*	*pepper*
der Pfirsich, -e	*Bring bitte Pfirsiche mit.*	*peach*
der Quark (Sg.)	Quark ist nicht Joghurt!	quark (curd chese)
die Salami, -(s)	*Kaufst du bitte Salami?*	*salami*
der Thunfisch, -e	*drei Dosen Thunfisch*	*tuna*

OBST UND GEMÜSE

	der Apfel, ¨ (A1)		die Bohne, -n		die Kartoffel, -n (A1)
	die Banane, -n		*der/die Paprika, -*		die Tomate, -n (A1)
	die Birne, -n		*der Pfirsich, -e*	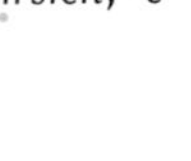	*die Weintraube, -n*
	die Zitrone, -n (A1)		die Zwiebel, -n (A1)		

4

die Buttermilch (Sg.)	Otto kauft keine Buttermilch.	buttermilk
die Essgewohnheiten (Pl.)	*Otto kennt seine Mitbewohner und ihre Essgewohnheiten.*	*eating habits*
das Fett, -e	Vollmilch hat 3,5 % Fett.	fat
fettarm	Fettarme Milch hat 1,5 % Fett.	low-fat
der Frischkäse (Sg.)	eine Packung Frischkäse	cream cheese
das Gramm (g) (Sg.)	Wie viel Gramm Schinken möchten Sie?	gram
das Kilogramm (kg) (Sg.)	1 Kilogramm = 1000 Gramm	kilogram
die Magermilch (Sg.)	Magermilch hat sehr wenig Fett, nur 0,5 %.	skimmed milk
die Pfeffersalami, -(s)	*Pfeffersalami und Knoblauchsalami sind heute im Angebot.*	*pepper salami*
das Pfund, -e	1 Pfund = 500 Gramm	German pound (500 grams)
roh	Soll es ein roher Schinken sein oder ein gekochter?	raw, crude
der Supermarkt, ¨e	Hören Sie die Gespräche im Supermarkt.	supermarket
die Vollmilch (Sg.)	Meinen Sie Vollmilch, fettarme Milch oder Magermilch?	whole milk
weich	Möchten Sie lieber einen weichen Käse oder einen harten?	soft

5

mithilfe	*Ergänzen Sie die Endungen mithilfe der Tabelle.*	*with the aid of*

7

das Einkaufsgespräch, -e	Einkaufsgespräche üben: Geben Sie mir bitte ein halbes Pfund.	dialogue about shopping
der Obst- und Gemüseladen, ¨	Im Obst- und Gemüseladen kauft der Kunde Paprika.	greengrocer, fruit and vegetable retailer
der Teeladen, ¨n	Im Teeladen bekommt man grünen Tee.	tea shop
die Wursttheke, -n	*An der Wursttheke ist heute die Salami im Angebot.*	*cold meat counter, deli counter*

8

der Nerv, -en	Otto hat keine guten Nerven.	nerve

9

der Brotkorb, ⸚e	Im Brotkorb sind 2 Brötchen und 1 Scheibe Brot.	breadbasket
doppelt	Möchtest du einen einfachen oder einen doppelten Espresso.	double
der Espresso, -s od. -ssi	Ich habe dir einen Espresso bestellt.	espresso
das Extra, -s	Als Extra gibt es ein Ei, einen Obstsalat, ein Croissant oder ein Brötchen.	extra
das Frühstücks-Café, -s	Wir gehen ins Frühstücks-Café.	breakfast café
die Frühstückskarte, -n	Wählen Sie Ihr Frühstück aus der Frühstückskarte.	breakfast menu
der Obstsalat, -e	Ich hoffe, du magst Obstsalat.	fruit salad
pressen	Orangensaft (frisch gepresst)	to squeeze
das Rührei, -er	eine kleine Portion Rührei	scrambled eggs
die Scheibe, -n	Zum Frühstück esse ich eine Scheibe Brot.	slice

LERNZIELE

die Adjektivdeklination, -en	Adjektivdeklination nach indefinitem Artikel: einen milden Käse	declination of an adjective
das Gewicht, -e	Gewichte: Kilo, Gramm ...	weight
mager	Ich hätte gern einen mageren Schinken.	lean
mild	Bitte einen milden Käse!	mild
die Verpackung, -en	Verpackungen: Flaschen, Gläser, Dosen ...	packaging

Lektion 5: Schaut mal, der schöne Dom!

1

die Stadtbesichtigung, -en	Was interessiert Sie bei einer Stadtbesichtigung besonders?	city tour

2

die Dom-Führung, -en	Die Großmutter hat eine Dom-Führung gebucht.	cathedral tour

BILDLEXIKON

die Führung, -en	Wir haben eine Führung gemacht.	tour
geschlossen	Das Museum war geschlossen.	closed
die Kamera, -s	Charlotte hat die Kamera im Dom liegen lassen.	camera
der Prospekt, -e	In der Touristeninformation gibt es Prospekte.	brochure, leaflet

Vocabulary

der Reiseführer, - / die Reiseführerin, -nen	Der Reiseführer gefällt Charlotte.	tour guide
der Reiseführer, - (Buch)	Im Reiseführer stehen viele Informationen über die Stadt.	guide book
der Rundgang, ⸚e	Zuerst haben wir einen Rundgang gemacht.	walkabout, tour/ trip
die Schifffahrt, -en	Der Höhepunkt wartet noch auf uns: eine Schifffahrt auf dem Rhein.	boat trip
das Trinkgeld (Sg.)	Wie viel Trinkgeld soll ich geben?	tip
die Unterkunft, ⸚e	Wir müssen noch eine Unterkunft buchen.	accommodation
wechseln: Geld wechseln	Auf der Bank kann man Geld wechseln.	to exchange: to exchange money

TIPP

Schreiben Sie die Buchstaben eines Wortes untereinander. Finden Sie Wörter zu einem Thema.

T rinkgeld
O ffen
U nterkunft
R undgang
I nteressieren
S ehenswürdigkeit
T axi

die Führung, -en

der Reiseführer, -

die Unterkunft, ⸚e

der Prospekt, -e

der Reiseführer, -

die Kamera, -s

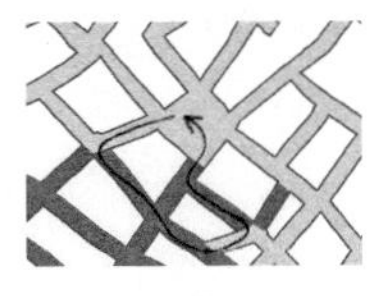

der Rundgang, ⸚e

die Schifffahrt, -en

der Tourist, -en

besichtigen

3

ab·geben	Der nette Reiseführer hat die Kamera im Hotel abgegeben.	to hand in
abstrakt	*Das Richter-Fenster ist mir zu abstrakt.*	*abstract*
ärgern (sich)	Charlotte ärgert sich.	to be annoyed
berühmt	Der berühmte Dom ist wirklich sehenswert.	famous
bunt	Das bunte Fenster hat mir nicht so gut gefallen.	colourful
das Bussi, -s	*Dickes Bussi!*	*kiss*
der Dank (Sg.)	Zum Dank habe ich ihn auf eine Cola eingeladen.	thanks, acknowledgements
die Facebook-Nachricht, -en	*Die Tochter schreibt eine Facebook-Nachricht an ihre Freundin.*	*facebook message*
großartig	*Die Stadt ist großartig.*	*superb, brilliant*
der Höhepunkt, -e	*Der Höhepunkt ist die Schifffahrt auf dem Rhein.*	*highlight*
lassen	Unsere Tochter hat ihre Kamera im Dom liegen gelassen.	to leave
das Loch, ¨-er	Charlotte hat dem Reiseführer ein Loch in den Bauch gefragt.	hole
der Rhein	*Der Rhein ist ein Fluss.*	*Rhine*
die Rheinfahrt, -en	*Eine Rheinfahrt, die ist lustig, eine Rheinfahrt, die ist schön …*	*trip on the river Rhine*
das Römisch-Germanische Museum	*Besonders gut hat mir das Römisch-Germanische Museum gefallen.*	*Roman-Germanic Museum*
sehenswert	*Köln ist eine sehenswerte Stadt.*	*worth seeing*
der/die Süße, -n	Hallo Süße!	honey, cutie
wieder·finden	Der Reiseführer hat die Kamera wiedergefunden.	to retrieve

5

das Brauhaus, ¨-er	*Das Brauhaus finde ich interessant.*	*brewhouse, brewery*
das Interesse, -n	Notieren Sie Ihre Interessen.	interest
die Klosterkirche, -n	*Wie gefällt dir die Klosterkirche?*	*abbey*
schick	Wir waren in einem schicken Club.	fancy, posh, smart

6

das Adjektiv-Quartett, -e	*Spielen Sie das Adjektiv-Quartett.*	*adjective-quartet*
verteilen	Verteilen Sie die Karten.	to hand out

7

also gut	Die Dom-Führung wird bestimmt interessant. Komm doch mit! – Also gut.	OK then
beeindruckend	*Die Kirche ist beeindruckend.*	*impressive*
der Besuch, -e	Sie bekommen Besuch von einer Freundin.	visit
dafür: dafür sein	Gute Idee. Ich bin dafür!	for it: to be for it

dagegen: dagegen sein	Eine Dom-Führung? Ich bin dagegen.	against it: to be against it
das Filmmuseum, -een	Ich gehe mit meinem Besuch ins Filmmuseum.	film museum
die Gegend, -en	Was bietet Ihre Gegend?	area
der Kaiserdom (Sg.)	*Ich zeige meinem Besuch immer den alten Kaiserdom.*	*imperial cathedral*
meistens	Ich gehe mit meinem Besuch meistens in den Dom.	mostly
der Samstagabend, -e	Wollen wir am Samstagabend in einen schicken Club gehen?	Saturday night
sicher	Das gefällt unserem Besuch sicher.	sure

8

die Planung, -en	Verwenden Sie Ihre Planung aus Aufgabe 7.	planning

LERNZIELE

berichten	etwas berichten: Danach sind wir in den Dom gegangen.	to report
einverstanden	Wir können den Dom besichtigen. – Einverstanden.	okay, agreed
der Internet-Eintrag, ¨-e	*Lesen Sie die Internet-Einträge.*	*internet entry*
der Tourismus (Sg.)	Wortfeld Tourismus: Tourist, Sehenswürdigkeit …	tourism

Lektion 6: Meine Lieblingsveranstaltung

1

der Begriff, -e	*Notieren Sie so viele Begriffe wie möglich.*	*term, idea*
das Feuer (Sg.)	Hilfe! Feuer!	fire

2

das Mittelalterfest, -e	*Die Landshuter Hochzeit ist ein Mittelalterfest.*	*medieval festival*
das Theaterfestival, -s	Warst du schon einmal auf einem Theaterfestival?	theatre festival

BILDLEXIKON

die Bühne, -n	Die Künstler kommen auf die Bühne.	stage
die Eintrittskarte, -n	Wir brauchen noch zwei Eintrittskarten.	admission ticket
die Ermäßigung, -en	Als Student bekommst du eine Ermäßigung.	concession
das Theaterstück, -e	Hast du das Theaterstück schon gesehen?	play
der Vortrag, ¨-e	Es gibt auf diesem Festival auch Vorträge.	talk, lecture

3

die Ars Electronica (Sg.)	*Die Ars-Electronica ist ein Festival für digitale Kunst.*	*Ars Electronica*
die Computeranimation, -en	*Mich fasziniert die Verbindung von Technik, Video, Computeranimation und so weiter.*	*computer animation*

der Darsteller, - / die Darstellerin, -nen	2000 Darsteller spielen die Landshuter Hochzeit nach.	performer
digital	*digitale Kunst*	*digital*
die Diskussionsrunde, -n	Es gibt auf der Ars Electronica viele Diskussionsrunden.	panel, discussion group
der Experte, -n / die Expertin, -nen	*Experten und Interessierte stellen hier Zukunftsfragen.*	*expert*
faszinieren	*Das fasziniert mich.*	*to intrigue, to fascinate*
her: her sein	*Das ist nun schon über 30 Jahre her.*	*ago: long time ago*
der Herzog, ¨-e	*1475 hat der bayerische Herzog Georg geheiratet.*	*duke*
das Hip-Hop-Fest, -e	*Das Open Air Frauenfeld ist das größte Hip-Hop-Fest in Europa.*	*hip hop festival*
historisch	*Ich liebe historische Feste.*	*historical*
die Hochzeitsfeier, -n	*Die Hochzeitsfeier hat sechs Tage gedauert.*	*wedding ceremony*
der/die Interessierte, -n	*Interessierte aus der ganzen Welt diskutieren Zukunftsprobleme.*	*interested parties*
die Kieler Woche	*Von morgen an findet die Kieler Woche statt.*	*Kiel week*
die Königstochter, ¨	Herzog Georg hat die polnische Königstochter Hedwig geheiratet.	king's daughter
der Künstler, - / die Künstlerin, -nen	Auf dem Hip-Hop-Fest sind deutschsprachige Künstler und internationale Stars.	artist
die Landshuter Hochzeit	*Die Landshuter Hochzeit findet alle vier Jahre statt.*	*Landshut Wedding*
der Leser, - / die Leserin, -nen	War die Leserin / der Leser schon dort?	reader
die Lieblingsveranstaltung, -en	Leserinnen und Leser stellen ihre Lieblingsveranstaltungen vor.	favourite event
mal sehen	Letztes Jahr waren 150000 Leute da. Mal sehen, wie viele es dieses Jahr werden.	let's see
das Mittelalter	*Die Hochzeitsfeier war eine der größten und schönsten im ganzen Mittelalter.*	*Middle Ages*
der Mittelpunkt, -e	*Die Musik steht im Mittelpunkt.*	*centre, focus*
das Originalkostüm, -e	Die Darsteller tragen Originalkostüme.	original period costume
die Performance, -s	*Auf der Ars Electronica gibt es viele Performances.*	*performance*
das Segelschiff, -e	*Da sind mehr als hundert große Segelschiffe auf dem Meer.*	*sailing vessel*
der/das Segelsport-Event, -s	*Die Kieler Woche ist ein Segelsport-Event.*	*sailing event*
der Star, -s	Eminem ist ein internationaler Star.	star
statt·finden	Das Open Air findet jedes Jahr im Sommer statt.	to take place
die Technik, -en	Mich fasziniert die Verbindung von Wissenschaft und Technik.	engineering

das Video, -s	Video ist auch digitale Kunst.	video
vorletzt-	*Am vorletzten Tag ist die berühmte Windjammerparade.*	*second last*
die Windjammerparade, -n	*Bei der Windjammerparade sind mehr als hundert große Segelschiffe auf dem Meer.*	*sailing ship parade*
die Yacht, -en	*Auf dem Meer kann man Segelschiffe und Yachten sehen.*	*yacht*
die Zukunftsfrage, -n	Experten stellen Zukunftsfragen.	discussions on the future (pl.)
das Zukunftsproblem, -e	Wir diskutieren Zukunftsprobleme.	future global problems (pl.)

VERANSTALTUNGEN

die Bühne, -n

die Ermäßigung, -en

das Theaterstück, -e

der Eintritt (Sg.)

der Künstler, -

die Kunst, ¨-e

die Eintrittskarte, -n

der Star, -s

der Vortrag, ¨-e

die Diskussionsrunde, -n

das Kostüm, -e

das Fest, -e

die Veranstaltung, -en

die Ausstellung, -en

das Festival, -s (A1)

4

der Beginn (Sg.)	Beginn: 20.00 Uhr, Ende: 22.00 Uhr	beginning, start
daher	Sie hat daher noch viele Freunde und Bekannte dort.	therefore, hence
die Insel, -n	Selina Wyss fliegt auf die Insel Mallorca.	island
das Schauspielhaus, ¨-er	*Vom 1. August an steht sie im Schauspielhaus Zürich auf der Bühne.*	*theatre, playhouse*

6

aus·machen	Wollen wir einen Termin ausmachen?	to arrange
halten (von)	Was hältst du davon?	to think sth. of so./sth.
interessieren	Du hast doch gesagt, das würde dich interessieren.	to be interested in
mit·kommen	Möchtest du vielleicht mitkommen?	to come along
der Treffpunkt, -e	*Wollen wir noch einen Treffpunkt ausmachen?*	*meeting place*

TIPP

Schreiben Sie wichtige Sätze auf und hängen Sie die Sätze in Ihrer Wohnung auf. Üben Sie.

LERNZIELE

einigen (sich)	*sich einigen: Aber gern.*	*to come to an agreement*
der Leserbeitrag, ¨-e	Überfliegen Sie die Leserbeiträge.	reader contribution
über (temporal)	über 30 Jahre	more than
der Veranstaltungs-kalender, -	Machen Sie einen Veranstaltungskalender im Kurs.	calendar of events
zu·stimmen	zustimmen: Okay, das machen wir.	to agree

MODUL-PLUS LESEMAGAZIN

1

anderswo	*Egal ob hier oder anderswo: Die Idee des Gärtnerns bleibt.*	*elsewhere*
aus·schließen	Umzug nicht ausgeschlossen.	to exclude
das Beet, -e	*Seit 2010 gibt es noch mehr Beete.*	*patch*
das Bio-Gemüse (Sg.)	*Wer darf das Bio-Gemüse ernten?*	*organic vegetables*
die Bio-Qualität (Sg.)	*Das Gemüse in Bio-Qualität kann jeder ernten.*	*certified organic quality*
damit	Die Idee des gemeinsamen Gärtnerns bleibt, damit Kinder wie Marlene Spinat nicht nur tiefgefroren kennen.	so that, in order that
ernten	Alle Menschen können das Gemüse ernten.	to harvest
das Gartencafé, -s	Im Gartencafé können sie das Gemüse essen.	garden café
die Gartenpizza, -s, -pizzen	*Auf der Speisekarte stehen so leckere Gerichte wie Gartenpizza.*	*garden pizza*
gärtnern	*Gärtnern Sie auch?*	*gardening*
das Gelände, -	*Sie machen aus dem Gelände einen Garten.*	*terrain*
der Gemüsegarten, ¨	Der Prinzessinnengarten ist ein Gemüsegarten.	vegetable garden
das Grundstück, -e	*Über 100 Nachbarn und Freunde treffen sich auf dem leeren Grundstück.*	*plot, site*

der Grundstückspreis, -e	*Die Grundstückspreise steigen.*	*price of land, real estate price*
der Kartoffelacker, -	*Es gibt jetzt auch einen Kartoffelacker.*	*potato field*
die Kiste, -n	Die Pflanzen wachsen in Kisten.	box
das Konzept, -e	Das Konzept ist einfach.	concept
das Kürbisrisotto, -s	*Im Gartencafé kann man Kürbisrisotto essen.*	*pumpkin risotto*
lebenswert	*Die Gärten machen aus grauen Stadtvierteln lebenswerte Orte.*	*worth living, livable*
die Milchtüte, -n	Die Pflanzen wachsen auch in alten Milchtüten.	milk carton
mit·arbeiten	Jeder kann mitarbeiten.	to collaborate, to assist
der Nutzgarten, ¨-	*Sie machen aus dem Gelände einen Nutzgarten mit Beeten.*	*kitchen garden*
die Oase, -n	*Immer mehr Touristen besuchen die kleine Oase.*	*oasis*
ökologisch	*Das Projekt ist ökologisch.*	*ecological, environmental*
der Prinzessinnengarten, ¨-	*Der Prinzessinnengarten ist kein Schlosspark.*	*princess garden*
die Revolution, -en	*die grüne Revolution*	*revolution*
der Sack, ¨-e	*Die Pflanzen wachsen in Säcken.*	*bag*
der Spinat (Sg.)	*Spinat wächst nicht in Würfeln.*	*spinach*
der Teufelskreis (Sg.)	*Das ist ein Teufelskreis.*	*vicious circle*
tiefgefroren	*Damit Kinder wie Marlene Spinat nicht nur tiefgefroren kennen.*	*deep frozen*
das Tomatenhaus, ¨-er	Im Prinzessinnengarten gibt es einen Kartoffelacker und ein Tomatenhaus.	tomato greenhouse
transportieren	Im Notfall kann man die Beete transportieren.	to transport
ungewiss	*Die Zukunft ist ungewiss*	*uncertain*
urban	*Urbane Gärten haben eine ungewisse Zukunft.*	*urban*
zurückfließen	Jeder Euro fließt zurück ins Projekt.	to reinvest (into the project)

MODUL-PLUS FILM-STATIONEN

1

beide: die beiden	Nach dem Stadtrundgang gehen die beiden einkaufen.	both: both of them
der Brunnen, -	*Sehen Sie auf dem Spaziergang von Melanie und Lena einen Brunnen?*	*fountain*
das Gebäude, -	Welche Gebäude sehen Sie?	building
die Heirat, -en	Was hat Lena vor ihrer Heirat oft gemacht?	wedding
klassisch	Gefällt dir klassische Musik?	classic
die Oper, -n	*Melanie und Lena wollen in die Oper gehen.*	*opera*
der Stadtrundgang, ¨-e	Was machen sie nach dem Stadtrundgang?	city walk
der Ton, ¨-e	*Sehen Sie den Film ohne Ton.*	*audio*

2

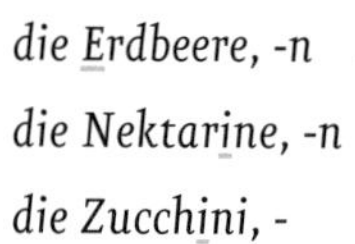

die Erdbeere, -n	*Auf dem Markt gibt es Erdbeeren, Äpfel, Pfirsiche …*	strawberry
die Nektarine, -n	*Was kauft Lena? Nektarinen?*	nectarine
die Zucchini, -	*Zucchini schmecken gut.*	zucchini, courgette

MODUL-PLUS PROJEKT LANDESKUNDE

1

die Allee, -n	*Spazieren Sie durch lange Alleen.*	alley, avenue
barock	*Neben dem barocken Schloss finden Sie eine wundervolle Parklandschaft.*	baroque
das Blumenbeet, -e	*Hier finden Sie viele Blumenbeete.*	flower bed
der Charme (Sg.)	Der Tiergarten Schönbrunn hat historischen Charme.	charm
der Irrgarten, ¨-	*Besuchen Sie den Irrgarten.*	labyrinth
der Kaiser, - / die Kaiserin, -nen	*In Schloss Schönbrunn hat Kaiserin Sisi gewohnt.*	emperor
das Palmenhaus, ¨-er	*Besuchen Sie auch das Palmenhaus.*	palm house
die Parklandschaft, -en	Wer die Parklandschaft nicht zu Fuß besichtigen möchte, steigt am besten in die Panoramabahn.	park landscape
die Panoramabahn, -en	*Willkommen in der Panoramabahn Schloss Schönbrunn!*	miniature train
prächtig	*Hier finden Sie prächtige Blumenbeete.*	magnificient
die Statue, -n	*Im Park stehen viele Statuen.*	statue
die Tierart, -en	Der Zoo hat mehr als 500 Tierarten.	animal species
der Tiergarten, ¨-	Tiergarten = Zoo	zoological garden
das UNESCO-Weltkulturerbe (Sg.)	*Das Schloss gehört zum UNESCO-Weltkulturerbe.*	UNESCO World Cultural Heritage
wundervoll	*Im wundervollen Park spazieren Sie durch lange Alleen.*	marvellous, wonderful

MODUL-PLUS AUSKLANG

1

das Denkmal, ¨-er	Das ist ein interessantes Denkmal.	memorial, landmark
drüben	Sehen Sie mal, da drüben!	over there
insgesamt	Die Stadtrundfahrt dauert insgesamt nur zwei Minuten zehn.	altogether
die Stadtrundfahrt, -en	*Der Tag ist perfekt für eine Stadtrundfahrt.*	city tour
superschnell	*Das ist die superschnelle Stadtrundfahrt.*	super fast
weltberühmt	Beethoven ist ein weltberühmter Mann.	world famous

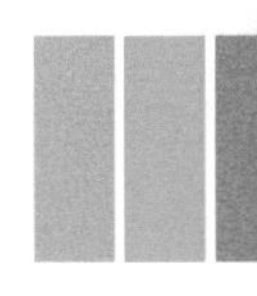

Lektion 4: Was darf es sein?

Adjective declension

An adjective describing a noun very often stands **in front of it** and has to take a special ending. Adjective endings vary, depending on the gender, the number, the case and the article of the noun.

There are different rules for adjectives following an indefinite article, a definite article and for nouns used without article.

Adjective declension after the indefinite article

Adjective declension			
	nominative	accusative	dative
	Das ist / sind …	*Ich hätte gern …*	*mit …*
• Schinken	ein mager**er** Schinken	einen mager**en** Schinken	einem mager**en** Schinken
• Brot	ein hell**es** Brot	ein hell**es** Brot	einem hell**en** Brot
• Paprika	eine grün**e** Paprika	eine grün**e** Paprika	einer grün**en** Paprika
• Brötchen	- hell**e** Brötchen	- hell**e** Brötchen	- hell**en** Brötchen

Ist das **ein magerer** Schinken? *Is it a low fat ham?*
Ich hätte gern **ein helles** Brot. *I'd like a white bread.*

Ich mache ein Rührei mit **einer grünen** Paprika und **einem mageren** Schinken.
I make scrambled eggs with a green pepper and a low fat ham.

In **singular**, the adjectives after the negation **kein/e** and possessive pronouns like **mein/e** follow the same rule that applies for adjectives after the indefinite article. In **plural**, however they have a different ending **-en**.

■ Haben Sie **helle** Brötchen? ■ *Do you have white rolls?*
▲ Tut mir leid, wir haben leider **keine hellen** Brötchen mehr. ▲ *I'm sorry, we don't have white rolls any more.*

Grammar Explanations

Lektion 5: Schaut mal, der schöne Dom!

Adjective declension after the definite article

The adjectives after definite articles have different endings compared to the adjectives after indefinite articles.

Adjective declension			
	nominative	accusative	dative
	Mir gefällt / gefallen ...	*Ich finde ... toll.*	*mit ...*
● Dom	der berühmt**e** Dom	den berühmt**en** Dom	dem berühmt**en** Dom
● Fenster	das bunt**e** Fenster	das bunt**e** Fenster	dem bunt**en** Fenster
● Kamera	die neu**e** Kamera	die neu**e** Kamera	der neu**en** Kamera
● Leute	die nett**en** Leute	die nett**en** Leute	den nett**en** Leute**n**

Ist das der **berühmte** Dom in Köln? — *Is that the famous cathedral in Cologne?*
Ich finde das **bunte** Fenster wunderschön! — *I think the colourful window is beautiful!*
Kannst du mit der **neuen** Kamera gute Fotos machen? — *Can you take good pictures with the new camera?*
Sie redet mit den **netten** Leuten aus dem Hotel. — *She's talking to the nice people from the hotel.*

Verbs besuchen *and* besichtigen

Both verbs **besuchen** and **besichtigen** can be translated with *to visit* in English. They are often treated as synonyms but there is still a difference in meaning.

We can use **besuchen** for **visiting places** and **people** but we **can't** use **besichtigen** referring to a person. The verb **besichtigen** also includes an element of "*looking around, looking at, observing or sightseeing*"

Lilo **besucht** gern Museen. / Lilo **besichtigt** gern Museen. — *Lilo likes visiting museums.*
Markus **besucht** seine Großeltern oft. — *Markus visits his grandparents a lot.*

Lektion 6: Meine Lieblingsveranstaltung

Temporal prepositions von ... an, von ... bis, seit

Temporal prepositions **von ... an, von ... bis** and **seit** always require the **dative case,** even if it's not always visible.

The combination of prepositions **von ... an** (*from ... on*) answers the question **Ab wann**? (*From when on?*) and refers to any point in time **from now on.**

Vom 21. Juni an findet in Kiel die berühmte Kieler Woche statt. — *From the 21st of June the famous "Kieler Woche" takes place.*

The combination of prepositions **von ... bis (zum)** (*from ... until*) answers the question **Wie lange**? (*How long?*) and describes a period of time from its beginning to the end:

Vom 8. bis zum 10. Juli bin ich auf dem Festival. — *From the 8th until the 10th of July I am at the festival.*

The preposition **seit** (*since, ever since, for*) answers the question **Seit wann**? (*Since when?*) and refers to a moment in time (always in the past) when something started.

Das Festival findet **seit 1985** jedes Jahr im Sommer statt. — *Since 1985 the festival takes place in summer.*

Temporal preposition über

The temporal preposition **über** always requires the **accusative case**, even if it's not always visible.

Über (*over, more than, longer than*) can also answer the question **Wie lange**? (*How long?*) and indicates a period of time (longer than ...).

Das ist **über 30 Jahre** her! — *It's more than 30 years ago!*

Cultural Studies

Buying natural and organic food and produce

No matter where in Germany you go, pretty much every village, town and city will have at least one farmers' market a week (*Wochenmarkt*). People gather at a central place in town to sell and buy locally grown food and chat with their friends and neighbors. An increasing number of Germans want to know where their food is coming from and under what conditions it is being produced. Therefore, organic groceries are quite common in Germany, and it is easy to find them in every supermarket. Starting in the 20th century, people would actively demand labeled organic products; but, especially within the last ten years, both supply and demand for organically grown produce has increased. As a matter of fact, most people between the age of 30 and 50 try to be careful what they eat. A healthy life and nutritious food is not enough; Germans are likely to seek out goods that are produced in a sustainable way, with deference to both farmer and environment.

In keeping with the trend of purchasing organically grown foods, producers in Germany have been flooding the market with different organic certification labels. Even with several labels around, only a few seem to follow the strict rules that are generally recognized by an obligatory third party (most often NGOs). Since 2001, the most common label in Germany is the *Bio-Siegel* (approved by the German government), which is also used in Switzerland and Austria. Other famous labels, such as *Demeter*, *Bioland* and *Naturland*, are also 'Made in Germany' and known for their highest standards each with a particular focus. Thus, a costumer, having bought organically certified eggs may well expect the hens fed on exclusively organic feed to have dispensed with artificial fertilizer agents, nor some other pesticides or herbicides.

Other criteria for the *Bio-Siegel* and the other named labels are the working conditions of farmers and their employees, not to mention affordable prices for their products. Also, certified farms are obliged to undergo inspections on a regular basis; in this way, customers are assured that the products they buy are really designated "fair-trade" and organic.

Regional festivals in Germany, Austria and Switzerland

Blessed with a mild and sunny climate, the *Pfalz* (Palatinate) region in the South-West of Germany, where the plane between the Rhine valley and the palatine forest offers ideal conditions for growing wine, is an excellent destination for attending a wine festival. The Palatine wine festival calendar lists events as early as March and as late as end of October in many towns along the famous *Weinstraße* (Wine road), which connects all vintners' villages.

In September, the resort town Bad-Dürkheim holds the largest wine festival and main event in the Palatinate, the *Dürkheimer Wurstmarkt* (Dürkheimer Sausage market). The origin of the festival is the Michaelismarket which was hosted right up until the 15th century at the *Michaelisberg* (mount Michaelis), a hill north of Dürkheim to cater to pilgrims traveling to the namesake chapel. Farmers and winegrowers would deliver their goods there, and would be joined by merchants, musicians and impostors. To this day, live music and fairground attractions along with the local specialties and wine are distinctive features of the festival. Bad Dürkheim also has the biggest wine barrel in the world with a volume of 1,7 million liters, and it houses a wine bar and a restaurant.

The best-known wine grape of the Palatine is the *Riesling*, but the region also grows other varieties such as the *Muller Thurgau*, *Weiss-* and *Grauburgunder*, and other grape varieties, including those that produce the finest ice-wine and some red wines such as *Dornfelder*. A popular way to enjoy wine at the festival is the *Weinschorle* (Spritzer) served in a traditional half-liter glass. Wine tents and traditional *Schubkärchler* – wine stands with scrubbed wooden tables make for a rustic and lively ambiance while wine villages offer a more intimate atmosphere for wine tastings.

Since 1980, the city of Zurich celebrates the yearly *Theater Spektakel Festival* near the picturesque *Zürichsee* in late August. Over the years it has become the most important event for the performing arts in Switzerland, renowned for its international theater acts. For the city of Zurich the festival is so significant that it has become known as the fifth season of the year. The *Theater Spektakel Festival* lasts 18 days and casts its multicultural spirit on many open-air stages, dazzling visitors with colorful bars and street artists. Music and dance performances make this theater festival a place to be for everyone who wants to enjoy Zurich in a special, cultural atmosphere.

The *Tellspiele* in Interlaken, Switzerland is a cultural event immersed in a special historical context. Wilhelm Tell lived around 1300 and was known as a Swiss freedom fighter. For many decades this larger-than-life champion of individual rights is recognized as the most famous national hero of Switzerland and is also pictured on Swiss coins. Whether Tell actually lived or not – no one knows for sure. However, Wilhelm Tell was an inspiration to us all, more so now that his story is folklore. As legend has it, Wilhelm Tell had defied the arrogant provincial governor; this wicked governor forced him to shoot an apple from his son's head with a bow and arrow as punishment. Tell would fire his bow and arrow and split that proverbial apple placed on his son's head. His son would survive – and the idea of freedom symbolized in this way would live on. The city of Interlaken has been celebrating the *Tellspiele* from mid-June till the end of August for over 100 years and it is the largest open-air stage in Switzerland, where Friedrich Schiller's drama about Wilhelm Tell is staged.

The *Bregenzer Festspiele* is a famous performing arts festival taking place since 1946 in the Austrian city of Bregenz from July to August. It is especially known for having the biggest lake stage in the world with monumental set designs and the picturesque Lake Constance in the background. People attend operas, musicals and ballet performances at the lake or visit the festival hall which mainly hosts stagings of works by Verdi, Wagner or Mozart. Orchestra concerts are also part of the more than 100 performances at the *Bregenzer Festspiele*, drawing an audience of close to 200,000 people every year.

Lektion 7: Wir könnten montags joggen gehen.

2

ab·nehmen	Der Mann möchte abnehmen.	to slim

BILDLEXIKON

das Badminton (Sg.)	*Ich spiele gern Badminton.*	*badminton*
(das) Basketball (Sg.)	*Du könntest Basketball spielen.*	*basket ball*
das Eishockey	*Wie wäre es mit Eishockey?*	*ice hockey*
das Fitnesstraining, -s	*Ich mache kein Fitnesstraining.*	*fitness training*
das Gewichtheben (Sg.)	*Wie wäre es mit Gewichtheben?*	*weightlifting*
das Golf	An deiner Stelle würde ich Golf spielen.	golf
die Gymnastik (Sg.)	*Mach mehr Gymnastik!*	*gymnastics*
(das) Handball	*Spiel doch Handball!*	*handball*
das Judo	*Mach doch Judo!*	*judo*
das Rudern	*Du könntest rudern.*	*rowing*
das Tischtennis	*Meinst du Tischtennis?*	*table tennis*
(das) Volleyball	*Spielst du auch so gern Volleyball?*	*volleyball*
das Walken	*Walken – das passt zu mir.*	*fitness walking*
das Yoga (Sg.)	*Ich gehe einmal pro Woche zum Yoga.*	*yoga*

joggen

Basketball spielen

Eishockey spielen

Fitnesstraining machen

Yoga/Gymnastik machen

Judo machen

rudern

walken

3

die Aqua-Fitness (Sg.)	*Herr Peters soll freitags Aqua-Fitness machen.*	*aqua aerobics*
aus·ruhen (sich)	Ausruhen nicht vergessen!	to rest, to relax
circa	Er möchte circa 8 Kilo abnehmen.	approximately
dienstags	Was sollte er dienstags machen?	on Tuesdays
donnerstags	Dienstags und donnerstags könnten wir Basketball spielen.	on Thursdays
die Ernährung (Sg.)	Herr Peters sollte auf eine gesunde Ernährung achten.	nutrition

der Fitnessplan, ¨-e	*Ergänzen Sie den Fitnessplan.*	*fitness plan*
das Fleisch (Sg.)	Er isst gern Fleisch.	meat
das Gemüse, -	Gekochtes Gemüse mit Reis ist gesund.	vegetable
die Gemüsesuppe, -n	Am Abend sollte er eine Gemüsesuppe essen.	vegetable soup
die Hühnchenbrust, ¨-e	*Salat mit Hühnchenbrust zum Mittagessen*	*chicken breast*
die Kartoffelsuppe, -n	Sie sollten Kartoffelsuppe essen.	potato soup
die Kohlenhydrate (Pl.)	*Nudeln sind Kohlenhydrate.*	*carbohydrates*
leihen	Leihst du mir das Buch?	to lend
mittwochs	Montags und mittwochs mache ich Sport.	on Wednesdays
nachts	Was machen Sie nachts? – Schlafen.	at night
die Nudel, -n	Essen Sie abends gern Nudeln? – Das ist aber gar nicht gesund.	noodle, pasta
das Paprikagemüse (Sg.)	*Abendessen: Paprikagemüse*	*pepper vegetables (pl.)*
das Rinderfilet, -s	*Abends sollte man nur Obst, Gemüse, Käse oder Fleisch essen, zum Beispiel Rinderfilet.*	*fillet of beef*
der Schlaf (Sg.)	Abnehmen im Schlaf – das wäre schön.	sleep
selb-	Das Training sollte immer zur selben Zeit stattfinden.	same
später	Können wir später einen Termin vereinbaren?	later
der Trainer, - / die Trainerin, -nen	*Was schlägt die Trainerin vor?*	*trainer*
trainieren	Trainieren Sie regelmäßig!	to exercise
das Training, -s	Das Training sollte regelmäßig stattfinden.	training
vormittags	Vormittags sollte Herr Peters Sport machen.	in the morning
wiegen	Herr Peters möchte gern weniger wiegen.	to weigh
die Zwiebelsuppe, -n	Zum Abendessen eine Zwiebelsuppe – lecker!	onion soup

TIPP

Schreiben Sie einen Lückentext mit neuen Wörtern. Ergänzen Sie die Lücken.

F_t mit Hund!
Mein Hund heißt Willi. Wir sind r e _ _ _ m _ _ i g an der f _ i _ _ _ en L _ _ t, mo r _ e _ s, m i _ _ a g _ und a b e _ d s. Das ist das perfekte T _ _ _ n _ _ g. Ich bin nie krank.

5

pantomimisch	*Spielen Sie eine Sportart pantomimisch vor.*	*pantomimic*

6

flexibel	*Ich bin zeitlich flexibel.*	*flexible*
die Luft (Sg.)	Ich bin gern an der frischen Luft.	air
das Sportprofil, -e	*Wie ist dein Sportprofil?*	*sport profile*
der Sporttyp, -en	Was für ein Sporttyp sind Sie?	sport type

die Stelle: an deiner Stelle	An deiner Stelle würde ich joggen.	place; here: if I were you
der Verein, -e	Ich mache gern im Verein Sport.	club
der Wettkampf, ¨-e	*Ich möchte an Wettkämpfen teilnehmen.*	*competition*
zeitlich	*Ich bin zeitlich flexibel.*	*time-wise, temporal*

7

das Diätgetränk, -e	Ich habe mit einem Diätgetränk drei Kilo abgenommen.	diet drink
das Diätprodukt, -e	Diätprodukte helfen nicht.	diet product
der Forumstext, -e	Lesen Sie die Forumstexte.	forum post
hoffen	Ich hoffe, ihr könnt mir etwas empfehlen.	to hope

8

inner-	Ich sollte mehr Fahrrad fahren, aber mein innerer Schweinehund sagt: Spiel lieber ein Computerspiel.	inner
der Schweinehund (Sg.)	*Mein innerer Schweinehund möchte am liebsten nur auf der Couch liegen.* 	*one's weaker self*
vor·nehmen (sich etwas)	*Was nehmen Sie sich immer wieder vor und schaffen es nicht?*	*to undertake*

LERNZIELE

das Adverb, -ien	*temporale Adverbien: montags, dienstags …*	*adverb*
der Fitness- und Ernährungsplan, ¨-e	*Sprechen Sie über den Fitness- und Ernährungsplan.*	*fitness and diet plan*
joggen	*Wir könnten montags joggen gehen.*	*to jog, to run*
der Konjunktiv, -e	*Konjunktiv II von „können" ist „könnte-"*	*conjunctive mood*
montags	montags = jeden Montag	on Mondays
die Sportart, -en	Welche Sportart sollte ich machen?	form of sport

Lektion 8: Hoffentlich ist es nicht das Herz!

1

der Herzinfarkt, -e	*Das ist vielleicht ein Herzinfarkt.*	*heart attack*
der Magen, ¨ oder -	Es muss nicht der Magen sein. 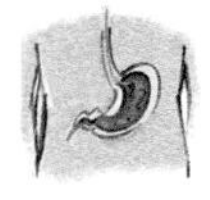	stomach
der Notfall, ¨-e	Das ist ein Notfall.	emergency

BILDLEXIKON

das Blut (Sg.)	Ich kann kein Blut sehen.	blood
bluten	Meine Hand hat stark geblutet.	to bleed
der Krankenwagen, -	Eine Frau hat den Krankenwagen gerufen.	ambulance

der Notarzt, ⸚e / die Notärztin, -nen	Der Notarzt hat gemeint, dass ich ins Krankenhaus muss.	emergency doctor
die Notaufnahme, -n	In der Notaufnahme hat man meine Hand untersucht.	A&E (accident and emergency)
die Operation, -en	Ich habe Angst vor Operationen.	operation
operieren	Hoffentlich muss der Arzt mich nicht operieren.	to operate
der Verband, ⸚e	*Ich habe einen Verband bekommen.*	*bandage*
verbinden	Der Arzt hat die Hand verbunden.	to bandage
verletzen	Sind Sie verletzt?	injured
die Verletzung, -en	Ich hatte eine Verletzung an der Hand.	injury

TIPP Lernen Sie Nomen und Verb zusammen.

die Operation – operieren
die Untersuchung – untersuchen

das Blut (Sg.)

der Notarzt, ⸚e

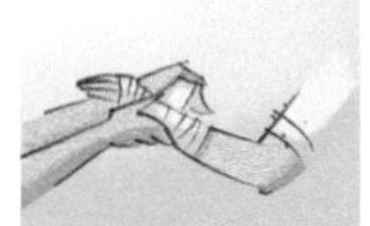
der Verband, ⸚e

der Krankenwagen, -

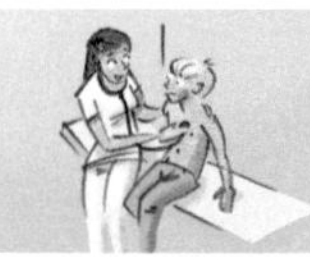
die Untersuchung, -en

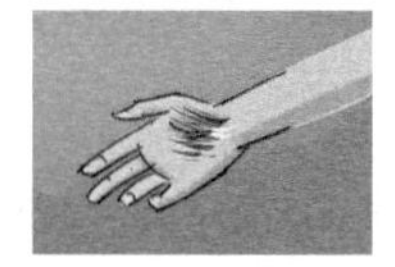
die Verletzung, -en

UNFALL

3

die Bauchgegend (Sg.)	Haben Sie manchmal Schmerzen in der linken oberen Bauchgegend?	midsection
dauernd	Denk doch nicht dauernd an Krankheiten.	permanent
das Druckgefühl (Sg.)	*Da ist immer wieder so ein komisches Druckgefühl.*	*feeling of pressure*
der Hausarzt, ⸚e / die Hausärztin, -nen	Du musst deinem Hausarzt glauben.	family doctor
das Herz, -en	Mein Herz ist völlig in Ordnung.	heart
der Körper, -	Du hast Probleme, weil du zu viel auf deinen Körper hörst.	body
der Nickname,-n	*Wie ist der Nickname von Frau Brudler?*	*nickname*
die Sprechstunde, -en	Ich war bei meinem Hausarzt in der Sprechstunde.	clinic, consultation hour

das Symptom, -e	*Verschiedene Herzkrankheiten haben fast die gleichen Symptome.*	*symptom*
untersuchen	Der Hausarzt hat Carlotta untersucht.	to examine
die Untersuchung, -en	Die Untersuchung hat fünf Minuten gedauert.	examination
vertrauen	Sie vertraut Ärzten nicht.	to trust
völlig	Mein Herz ist völlig in Ordnung.	entirely
die Wahrheit, -en	Ich finde es total traurig, dass die Ärzte einem nie die Wahrheit sagen.	truth

4

die Lücke, -n	*Schreiben Sie Sätze mit einer Lücke für „weil/deshalb".*	*gap*
die Magenschmerzen (Pl.)	Frau Winkler kommt nicht zur Arbeit. Sie hat Magenschmerzen.	stomachache
das Satzende, -n	Das Verb steht in Nebensätzen am Satzende.	end of a sentence

5

erkältet (sein)	Ich kann nicht arbeiten, weil ich erkältet bin.	to have a cold
die Folge, -n	*Folgen angeben: Deshalb kann ich nicht zur Arbeit kommen.*	*consequence*
die Grippe, -n	Ich habe Grippe. Deshalb kann ich nicht tanzen gehen.	flu
die Kopfschmerztablette, -n	Ich muss in die Apotheke gehen, weil ich Kopfschmerztabletten brauche.	headache pill
der Satzanfang, ¨-e	Wählen Sie den Satzanfang in der passenden Spalte.	start of a sentence
der Satzteil, -e	Suchen Sie dann einen passenden Satzteil in der anderen Spalte.	part of a sentence
der Zahnarzt, ¨-e / die Zahnärztin, -nen	Ich brauche einen Termin beim Zahnarzt.	dentist
die Zahnschmerzen (Pl.)	Ich habe Zahnschmerzen.	toothache

7

hin·fallen	Gestern bin ich hingefallen.	to fall over
weiter·geben	Er gibt die Sätze an Person 2 weiter.	to pass on

GRAMMATIK & KOMMUNIKATION

der Hauptsatz, ¨-e	„Deshalb"-Sätze sind Hauptsätze.	main clause
der Nebensatz, ¨-e	„Weil"-Sätze sind Nebensätze.	dependent/subordinate clause

LERNZIELE

die Herzkrankheit, -en	Ich habe Angst vor Herzkrankheiten.	cardiac disease
die Hoffnung, -en	Hoffnung ausdrücken: Ich hoffe, es ist alles in Ordnung.	hope
das Mitleid (Sg.)	*Mitleid ausdrücken: Oh, das tut mir echt leid.*	*compassion, sympathy*
der Unfall, ⸚e	Gestern hatte ich einen Unfall.	accident
weil	Der Arzt will mir nichts sagen, weil meine Krankheit so schlimm ist.	because

Lektion 9: Bei guten Autos sind wir ganz vorn.

1

der Audi, -s (Auto)	*Er fährt einen Audi.*	*Audi*
erfolgreich	*Der Audi ist ein erfolgreicher Wagen.*	*successful*
der Wagen, -	Der Audi ist ein erfolgreicher Wagen.	car
wichtig	Der Audi 80 ist wichtig für die Firma Audi.	important

BILDLEXIKON

der Betrieb, -e	Betrieb sucht Mitarbeiter für den Verkauf.	company
der Export, -e	1980 gehen 35% aller ‚Audi 80' in den Export.	export
die Halle, -n	In der Halle ist es sehr ordentlich und sauber.	hall, hangar
der Import, -e	Ich arbeite im Import und Export.	import
das Lager, -	Früher hatten wir ein großes Lager.	warehouse
der Lkw, -/-s (Lastkraftwagen)	Heute kommen die Bauteile mit Lkws zu uns.	truck, lorry
die Maschine, -n	Maschinen machen heute gesundheitlich problematische Arbeitsvorgänge.	machine

3

das Fließband, ⸚er	*Alfons Beierl hat am Fließband gearbeitet.*	*assembly conveyer*
die Produktion, -en	Die Produktion hat sich in den letzten drei Jahrzehnten geändert.	production
das Werk, -e	Wie sieht es im Werk aus?	factory

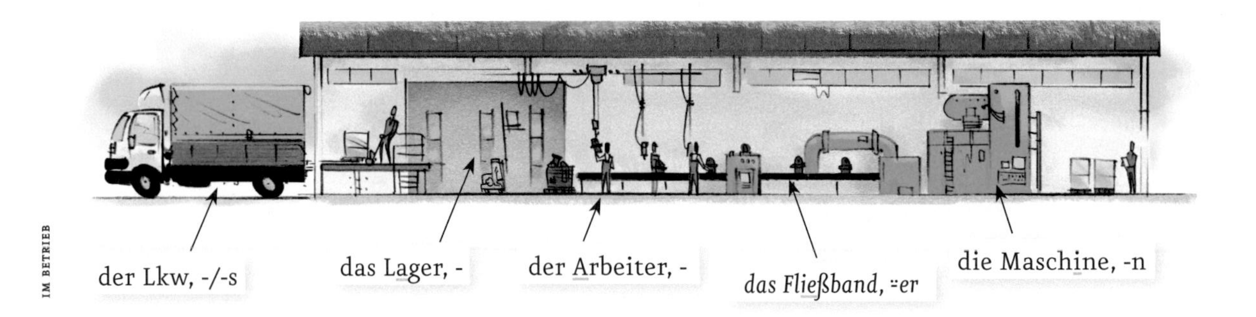

4

der Absatz, ¨-e	*Welcher Absatz passt?*	*paragraph*
die Arbeitsbedingungen (Pl.)	Die Arbeitsbedingungen in der Produktion sind heute anders.	operating conditions
der Arbeitsplatz, ¨-e	Auch für die Ergonomie am Arbeitsplatz hat man viel getan.	working plan
der Arbeitsvorgang, ¨-e	*Maschinen machen heute gesundheitlich problematische Arbeitsvorgänge.*	*work process*
die Autoindustrie (Sg.)	Die deutsche Autoindustrie war schon in den 1970er- und 1980er-Jahren sehr effektiv.	car industry
das Bauteil, -e	Die Bauteile kommen von anderen Firmen zu uns.	element, component, part
effektiv	*Die deutsche Autoindustrie war schon in den 1970er- und 1980er-Jahren sehr effektiv.*	*effective*
die Einsparung, -en	*Natürlich geht das nicht ohne Einsparungen.*	*reductions; savings (pl.)*
die Ergonomie (Sg.)	*Auch für Ergonomie am Arbeitsplatz hat man viel getan.*	*ergonomics*
das Fahrzeug, -e	*Audi hat mit seinen Fahrzeugen großen Erfolg.*	*vehicle*
die Fahrzeugklasse (Sg.)	*Heute machen wir in dieser Fahrzeugklasse 1700 Fahrzeuge am Tag.*	*car classification*
das Filmteam, -s	Alfons Beierl führt das Filmteam durch die großen Produktionshallen.	film crew
die Firmengeschichte (Sg.)	Fotos aus der Firmengeschichte zeigen, wie sich die Produktion geändert hat.	company history
gesundheitlich	Gesundheitlich problematische Arbeitsvorgänge: das Lackieren der Maschinen ...	healthwise
der Industriemeister, - / die Industriemeisterin, -nen	Industriemeister Alfons Beierl geht bald in Rente.	foreman
das Jahrzehnt, -e	Die Produktion hat sich in den vergangenen Jahrzehnten geändert.	decade
die Konkurrenz, -en	*Die internationale Konkurrenz ist groß.*	*competition, competitor*
das Lächeln (Sg.)	Er ergänzt mit einem kleinen Lächeln: ...	smile
das Lackieren	*Das Lackieren der Autos machen heute Maschinen.*	*varnishing*
der Motorraum (Sg.)	Ein Foto zeigt die Arbeit im Motorraum 1981.	motor compartment
das Nachfolgemodell, -e	*Im Jahr 2011 sind es 75% bei den Nachfolgemodellen.*	*follow-up model, successor*
problematisch	*Gesundheitlich problematische Arbeitsvorgänge: das Lackieren der Maschinen ...*	*problematic*
die Produktionshalle, -n	Alfons Beier führt das Filmteam durch die großen Produktionshallen.	production hall
die Produktivität (Sg.)	*Neue Technologien haben die Produktivität verbessert.*	*productivity*

die Rente, -n	Alfons Beierl geht bald in Rente.	pension
sinken	Die Produktion ist gesunken.	to decrease
sparen	Audi muss sparen.	to save
steigen	Die Produktion ist gestiegen.	to increase
die Technologie, -n	Neue Technologien haben die Produktivität verbessert.	technology
der Urlaubstag, -e	Die Mitarbeiter bekommen heute mehr Urlaubstage.	day of vacation
verbessern (sich)	Die Arbeitsbedingungen haben sich verbessert.	to improve
vorn (sein)	Bei guten Autos sind wir ganz vorn.	(to be) in the vanguard
der Weltmarkt, ¨-e	Audi hat großen Erfolg auf dem Weltmarkt.	global market
der Wettbewerb, -e	*Bei dem starken internationalen Wettbewerb geht es natürlich nicht ohne Einsparungen.*	*competition*
winken	Er winkt zum Abschied.	to wave
die Wirtschaft (Sg.)	Die Autoindustrie ist wichtig für die deutsche Wirtschaft.	economy
die Wochenarbeitszeit (Sg.)	Arbeiter und Angestellte haben heute eine kürzere Wochenarbeitszeit als früher.	weekly working hours

5

die Berufserfahrung (Sg.)	Guter Kfz-Mechatroniker mit viel Berufserfahrung sucht Festanstellung.	work experience
die Bürogemeinschaft, -en	Suche dringend Büro in Bürogemeinschaft.	office partnership
die Festanstellung, -en	*Wir bieten eine Festanstellung bei gutem Lohn.*	*permanent position*
die Haushaltshilfe, -n	Suche ordentliche Haushaltshilfe für 10 Stunden pro Woche.	domestic aid
die IT-Abteilung, -en	*Suchen freundliche Mitarbeiter (m/w) für unsere IT-Abteilung.*	*IT department*
der Lohn, ¨-e	Wir bieten eine Festanstellung bei gutem Lohn.	salary
monatlich	Preis: monatlich bis 200 Euro	monthly
die Reparatur, -en	Studentin bietet Hilfe im Haushalt und bei kleinen Reparaturen.	repair
der Verkauf, ¨-e	Suche Mitarbeiter für den Verkauf.	sale

6

angestellt (sein)	Ich möchte gern angestellt sein.	(to be) employed
drinnen	Ich möchte gern drinnen arbeiten.	inside
fest: feste Arbeitszeiten	Feste Arbeitszeiten sind mir wichtig.	fixed: fixed/set working hours
das Team, -s	Ich arbeite gern im Team.	team
die Teilzeit (Sg.)	Ich möchte gern Teilzeit arbeiten.	part time

TIPP

Schreiben Sie ein paar Sätze, zum Beispiel über Ihre Arbeit.

Ich bin angestellt bei ...
Ich arbeite seit ... in diesem Betrieb.
...

7

der Arbeitsort, -e	Schreiben Sie einen Beruf und den Arbeitsort auf einen Zettel.	job location
das Berufe-Raten (Sg.)	*Spielen Sie Berufe-Raten.*	*career charades*
kleben	Kleben Sie den Zettel Ihrer Partnerin / Ihrem Partner auf die Stirn.	to stick, to glue
die Stirn (Sg.)	*Kleben Sie den Zettel Ihrer Partnerin / Ihrem Partner auf die Stirn.*	*forehead*

LERNZIELE

das Arbeitsleben (Sg.)	Was ist wichtig im Arbeitsleben?	working life
die Arbeitszeit, -en	Suche Job mit flexiblen Arbeitszeiten.	working hours
der Bericht, -e	Der Bericht erzählt von einem Dokumentarfilm.	report
der Dokumentarfilm, -e	*Frank Heistenbergs Dokumentarfilm zeigt dies am Beispiel von Audi.*	*documentary*
der Nullartikel, -	*Nullartikel: flexible Arbeitszeit*	*zero article*
die Wichtigkeit (Sg.)	*Wichtigkeit ausdrücken: Wie wichtig ist dir das?*	*importance*

MODUL-PLUS LESEMAGAZIN

1

auf·bauen	*Baut Muskeln auf.*	*to build up, to establish*
die Ausdauer (Sg.)	*Keine Ausdauer?*	*endurance, stamina*
aus·probieren	*Probiert es aus!*	*to try out, to test*
die Bauch-Beine-Po-Gymnastik (Sg.)	*täglich Bauch-Beine-Po-Gymnastik*	*abdomen-legs-buttocks workout*
beschäftigt	Sie ist eine viel beschäftigte Geschäftsfrau.	busy
der Drink, -s	*Unsere Gesundheitsbar hat gesunde Drinks im Angebot.*	*drink*
egal	Egal ob Mutter, Geschäftsfrau, Studentin oder Seniorin – bei LaDonnaSport seid ihr genau richtig!	regardless of
der Flyer, -	*Lesen Sie den Flyer.*	*flyer*
das Frauen-Fitness-studio, -s	*LaDonnaSport – dein Frauen-Fitnessstudio*	*gym for women only*
das Gerät, -e	Trainiert euren Körper an über 40 modernen Geräten.	equipment
die Geschäftsfrau, -en	Sie ist eine viel beschäftigte Geschäftsfrau.	business woman
die Gesundheitsbar, -s	Die Gesundheitsbar hat viele leckere Salate im Angebot.	health bar

die Hüfte, -n	*Zu viel Speck um die Hüften?*	*hip*
die Kinderbetreuung (Sg.)	Wir bieten professionelle Kinderbetreuung.	child care
der Lauftreff, -s	*jeden Freitag Lauftreff*	*meeting point for runners*
das Lieblingsstudio, -s	LaDonnaSport ist mein Lieblingsstudio.	favourite studio
der Muskel, -n	*Baut Muskeln auf!*	*muscle*
die Öffnungszeit, -en	*Wie sind die Öffnungszeiten?*	*opening times*
das Pilates	*dienstags und donnerstags Pilates*	*pilates*
das Poweryoga (Sg.)	*wechselnde Angebote am Wochenende wie Zumba und Poweryoga*	*power yoga*
das Probetraining, -s	*Kommen Sie zum Probetraining!*	*trial session*
professionell	*Wir bieten professionelle Kinderbetreuung.*	*professional*
die Rückenschmerzen (Pl.)	Haben Sie Rückenschmerzen?	backache
rundum	*Wer Sport treibt, ist rundum zufriedener.*	*round*
der Senior, -en / die Seniorin, -nen	Egal ob Mutter, Geschäftsfrau, Studentin oder Seniorin – bei uns seid ihr richtig!	senior
der Speck (Sg.)	*Zu viel Speck auf den Hüften?*	*literally "bacon", (here relating to being overweight)*
der Tag: Tag der offenen Tür	Einladung zum Tag der offenen Tür	day: open house
der Trainingsplan, ⸚e	Unser Team stellt euch gern einen persönlichen Trainingsplan zusammen.	workout plan
treiben: Sport treiben	Wer regelmäßig Sport treibt, lebt gesünder.	to do: to do sports
unverbindlich	*Ein unverbindliches Probetraining ist möglich.*	*non-binding*
vorbei·schauen	*Schaut bei uns vorbei!*	*to call in*
der Wellnessbereich, -e	*Entspannt euch im Wellnessbereich!*	*spa area*
der Yogakurs, -e	*montags und mittwochs Yogakurse*	*yoga class*
das Zumba (Sg.)	*wechselnde Angebote am Wochenende wie Zumba und Poweryoga*	*zumba*

2

das Mitglied, -er	Sind Sie Mitglied in einem Fitnessstudio?	member

MODUL-PLUS FILM-STATIONEN

1

der Fußballprofi, -s	Ich möchte Fußball-Profi werden.	football pro
zufällig	Sind die beiden verabredet oder treffen sie sich zufällig?	random, accidental

MODUL-PLUS PROJEKT LANDESKUNDE

1

anstrengend	Vor 100 Jahren war Wäschewaschen eine anstrengende Arbeit.	exhausting
aus·spülen	*Zum Ausspülen haben die Frauen die Wäsche an einen Bach getragen.*	*to rinse*
bezahlbar	Die erste Waschmaschine war noch sehr teuer und fast nicht bezahlbar.	affordable
duften	*Eine Stunde später kann man die saubere, frisch duftende Wäsche aus der Waschmaschine holen.*	*to scent, to be fragrant*
ein·weichen	*Die Frauen haben die Wäsche erst einmal eingeweicht.*	*to soak*
die Haut, ¨-e	Das ist aber sehr schlecht für die Haut!	skin
die Männerarbeit, -en	War das Waschen Männerarbeit?	man's job
das Soda (Sg.)	*Meistens hat man Soda verwendet.*	*soda*
trocknen	Man kann die saubere Wäsche zum Trocknen aufhängen.	to dry
die Waschfrau, -en	Die Waschfrauen waren oft krank.	laundress
die Waschmaschine, -n	Seit 1951 gibt es Waschmaschinen.	washing machine
das Waschpulver (Sg.)	*Tür auf, Wäsche rein, Waschpulver dazu, Tür zu.*	*washing powder*
das Wäschewaschen (Sg.)	Vor 100 Jahren war Wäschewaschen eine anstrengende Arbeit.	to do the washing
die Wasserpumpe, -n	*Zum Ausspülen haben die Frauen die Wäsche an einen Bach oder an eine Wasserpumpe getragen.*	*water pump*

2

der Alltag (Sg.)	Wählen Sie ein Thema aus: Familie & Alltag	everyday life
die Hausarbeit (Sg.)	Hausarbeit: Wäsche waschen, kochen, staubsaugen ...	housework
das Übergewicht (Sg.)	*Übergewicht: Man wiegt zu viel.*	*overweight*

MODUL-PLUS AUSKLANG

1

dumm (sein)	Joggen wäre gar nicht so dumm.	(to be) stupid
die Fitness (Sg.)	*Du solltest was für deine Fitness tun.*	*fitness*
voll	Mein Terminkalender ist voll.	full

Grammar Explanations

Lektion 7: Wir könnten montags joggen gehen.

Subjunctive

Konjunktiv II, in English *subjunctive*, is a **mood** (not a tense!) used to express **hypothesis** (things that are **not a fact** and things that we would wish to become real). It can also be used to express polite requests, suggestions or advice.

In **Konjunktiv II** most of the verbs are formed with **würde** (would) plus the infinitive of a verb.

Ich **würde** gern mit dir tanzen.	*I would like to dance with you.*
Welche Sportart **würdest** du mir **empfehlen**?	*What kind of sport would you recommend?*

A very common way to express requests, suggestions and advice is to use the subjunctive form of **modal verbs**, for example **sollte** and **könnte**.

Du **solltest** abends joggen.	*You should go jogging in the evenings.*
Wir **könnten** schwimmen gehen.	*We could go swimming.*

	Subjunctive of modal verbs		
		können	**sollen**
singular	ich	könn**te**	soll**te**
	du	könn**test**	soll**test**
	er/sie	könn**te**	soll**te**
plural	wir	könn**ten**	soll**ten**
	ihr	könn**tet**	soll**tet**
	sie/Sie	könn**ten**	soll**ten**

Temporal preposition zwischen

The preposition **zwischen** (*between*) used in a **temporal** context always requires the **dative case**, even if the case is not visible. It answers the question **Wann**? (*When?*) and describes a period of time.

Ich war **zwischen 7 und 8 Uhr** zu Hause.	*Between 7 and 8 o'clock I was at home.*

Temporal adverbs like montags

Temporal adverbs describe **when** the action of a verb is carried out. Adverbs like **montags** can be used if the action is repeated very often, regularly or always. They are formed from days of the week or parts of the day. They are not capitalised and have an ending **-s**.

abends → jeden Abend (*every evening*)

Er spielt nur **abends** Klavier.	*He only plays the piano in the evenings.*

montags → immer am Montag / jeden Montag (*always on Monday / every Monday*)

Was machst du normalerweise **montags**?	*What do you normally do on Mondays?*

Lektion 8: Hoffentlich ist es nicht das Herz!

Conjunction weil

The conjunction **weil** (*because*) introduces a subordinate clause of a compound sentence. A clause with **weil** answers the question **Warum**? (*Why?*) and describes the cause. The verb in the subordinate clause will always be at **the very end of it**.

Sie kommt morgen nicht zur Arbeit, weil sie Magenschmerzen hat.	*She'll not come to work tomorrow because her stomach aches.*

When the sentence **begins with a subordinate clause** (that also means, it begins with a **conjunction**), the whole subordinate clause is treated as the **first place in the sentence**. Therefore **the main clause starts with a verb** straight after the comma:

Weil sie Magenschmerzen hat, kommt sie morgen nicht zur Arbeit.	*Because of her sore stomach, she'll not come to work tomorrow.*

Conjunction deshalb

Another way of expressing cause in a sentence is to use the conjunction **deshalb** (*hence, therefore*). **Deshalb** can connect coordinating clauses but it never starts the sentence. It will change the word order in the introduced clause. The verb is in the second position, after **deshalb**.

Es gibt heute keine freien Termine beim Arzt, deshalb muss ich bis morgen warten.	*There are no appointments left at the doctor's today, therefore I will have to wait until tomorrow.*

Weil *and* deshalb

We can transform a sentence with **weil** into a sentence with **deshalb** and the other way around because both of the conjunctions describe a cause.

Sie schläft viel, weil sie krank ist.	*She sleeps a lot because she's ill.*
Sie ist krank, deshalb schläft sie viel.	*She is ill, therefore she sleeps a lot.*

Grammar Explanations

Lektion 9: Bei guten Autos sind wir ganz vorn.

Adjective declension without articles

Adjectives used before nouns **without articles** have different endings compared to adjectives used after the indefinite and definite articles.

Adjective declension			
	nominative	accusative	dative
• Lohn	gut**er** Lohn	gut**en** Lohn	gut**em** Lohn
• Lager	groß**es** Lager	groß**es** Lager	groß**em** Lager
• Arbeitszeit	flexibl**e** Arbeitszeit	flexibl**e** Arbeitszeit	flexibl**er** Arbeitszeit
• Büros	klein**e** Büros	klein**e** Büros	klein**en** Büros

Audi hat sehr **großen** Erfolg auf dem Weltmarkt. — *Audi is very successful on the world market.*

Erfolgreicher Betrieb sucht **flexible** Mitarbeiter. — *A successful company is looking for flexible workers.*

A place to be active: the 'Sportverein' (Sports Club)

Around 28 million Germans across all age groups are members in a *Sportverein* (Sports Club) to carry out their favorite kind of sport or to simply stay fit. These non-profit sports clubs not only offer a wide range of team and individual sports but also social commitment is important for their members. The *Sportverein* is organized through a volunteer-system and assisted by professionals and public funding, allowing for track and field areas, facilities and equipment to be regularly maintained.

The history of the organized *Sportverein* began in the early 19th century in the context of an increasing awareness for the importance of physical activity for general well-being. Interestingly, it is also closely associated with the gymnastics movement. Friedrich Ludwig Jahn, a German educator and patriot, initiated gymnastics (*Turnen*) in Germany as a means to achieve physical fitness – one of the ideals in the nationalist movement against French rule and for German national unity. Jahn's motto *„Frisch, Fromm, Fröhlich, Frei"* (Fresh, pious, cheerful and liberal) advocated the benefits of gymnastics for the body, spirit and morals. Jahn is also called *Turnvater Jahn (the 'father' of gymnastics)* because he introduced the high bar and the parallel bars, created the terminology for gymnastics and promoted the subject in schools. Eventually, gymnastics along with team sports were recognized for their intrinsic value of fun and became popular recreational activities.

Supporters of Jahn showcased the art of gymnastics on the first public training ground at the *Hasenheide* in 1811 in Berlin.

Two of the first organized *Sportvereine* were the *Hamburger Turnerschaft* founded in 1816 and the Rowing club in Hamburg founded in 1836, with other clubs specializing in particular kinds of sports following. *Sportvereine* peeked in popularity as a mass movement in the Weimar Republic, after 1919.

In recent years, commercial fitness clubs have gained in popularity because of flexible individual workout times, the introduction of sports novelties and perhaps due to the fact that younger people increasingly lack time to become involved in a *Sportverein*. Nevertheless, *Sportvereine* still play an important role in society by fostering physical and mental health as well as in promoting the values of fair play, tolerance and social integration, especially of the young and old.

The Red Cross – worldwide emergency medical services

Pictures in the media, aid appeals and fundraising campaigns inform us about the work of the Red Cross in areas hit by catastrophes. This international humanitarian organization is known for providing medical emergency services to both victims of natural disasters such as floods and earthquakes and to those suffering as a result of military conflicts and war zones. What is less known is that the foundation of the Red Cross dates back to before the time of the First World War and is linked to the crucial experience of a Swiss national during war time.

In 1859, the Swiss businessman and social activist Jean-Henry Dunant travelled through the Lombardy region lying in ashes. He arrived in the village of Solferino after the bloody battle between Austria on the one side and the Kingdom of Sardinia (Italy), with their allies from France, on the other side. Shocked by the suffering of thousands of wounded soldiers left on the battlefield without any kind of medical aid, Dunant organized an improvised aid program that same day. Dunant's experience in the battlefield was the origin of an idea that restored faith in humanity: The Red Cross.

In his book *Eine Erinnerung an Solferino (A Memory of Solferino)*, Dunant describes the horrors of war and proposes a permanent relief society to nurse wounded soldiers, regardless of their country of origin, in periods of peace between battles and to develop a government treaty recognizing the neutrality of this agency and its authority to provide aid in war zones. Four years later, four gentlemen from Geneva in support of his ideas founded the "International Committee for Relief to the Wounded". A conference organized by the committee in 1863, and attended by 36 individuals from all over Europe, developed basic rules on the humane treatment of the wounded. Only one year later, the first official diplomatic conference, the Geneva Convention, established legally binding rules signed by representatives of 12 European states and kingdoms. Further conventions followed, of which the 1949 Geneva Convention was the decisive one, establishing the standards of international law for the humanitarian treatment of war.

The services of the Red Cross alleviate the suffering caused by war, provide civilians with help, repatriate prisoners of war, assist refugees and the displaced, and include the provision of first aid training and first aid kits to both parties in a military conflict. The fundamental principles of the International Committee of the Red Cross to this day have been humanity, impartiality, neutrality, independence, voluntary service, unity and universality. In 1901, the first Nobel Peace Prize was awarded to Jean-Henry Dunant for his lifelong dedication to the founding of the Red Cross, which today is an internationally respected movement.

The emblem of the Red Cross on a white background was not intended as a symbol for Christianity but represents the reversed Swiss federal colors, alluding to the century-old neutral status of Switzerland. Nevertheless, during the Russo-Turkish War (1876-1878), the Ottoman Empire declared their ambulance would use the Red Crescent on a white background. Many other countries followed this idea, and new emblems, such as the Red Lion, Red Flame, Red Archway, etc., were introduced. However, today only the Red Cross, the Red Crescent and the Red Crystal are recognized by the committee, and they are present with national societies in 186 countries.

The story of Aspirin®

Already Egyptians and other cultures were believed to have used willow leaves and bark for their analgesic (pain-relieving) effects. In antiquity, the healer Hippocrates recommended extracts from the bark of willows to relieve pain and help lower fever. During 1828, a pharmacy professor accomplished the isolation of the active pharmaceutical ingredient. It was named "Salicin" after the plant it had been extracted from (willow, Latin "Salix spp"). Fifty years later, salicylic acid was produced synthetically and in an industrial scope by Friedrich von Heyden, but the horrible taste and severe side effects on the stomach of this medical precursor remained an issue. Internationally, chemists and pharmacists researched for an improved method. On the 10th of August, 1897, Friedrich Hoffmann and other chemists at Bayer, a German pharmaceutical company, managed to synthesize and patent the active pharmaceutical ingredient "acetylsalicylic acid" (ASA) in a pure and stable chemical form. The remarkable therapeutic effect and the few side effects of the analgesic and anti-inflammatory drug ultimately made the trademarked *Aspirin* one of the most known medications. Nowadays, the usage of Aspirin® ranges from treating headaches, hangovers or even migraine to the prevention of heart attacks and strokes.

Lektion 10: Gut, dass du reserviert hast.

1

das Lokal, -e	Die beiden Personen sind in einem Lokal.	pub, tavern, venue

BILDLEXIKON

das Besteck, -e	das Besteck: Messer, Gabel, Löffel	cutlery
der Essig, -e	Auf dem Tisch ist kein Essig.	vinegar
die Gabel, -n	B hat keine Gabel.	fork
die Kanne, -n	Wo ist die Kanne?	jug
der Löffel, -	Für die Suppe brauchen wir einen Löffel.	spoon
das Messer, -	Das Messer ist nicht sauber.	knife
das Öl, -e	Könnten Sie uns bitte das Öl bringen?	oil
die Serviette, -n	*Können Sie mir eine Serviette bringen?*	*napkin*
der Zucker (Sg.)	Milch und Zucker zum Kaffee?	sugar

TIPP
Was passt zusammen?
Lernen Sie Wortpaare.

Essig – Öl

3

der Hamburger, -	*Vielleicht nehme ich einen Hamburger.*	*Hamburger*
reservieren	Gut, dass du reserviert hast.	to book
wenigstens	Sie haben wenigstens Pommes.	at least

4

die Bratkartoffeln (Pl.)	Ein Schnitzel mit Bratkartoffeln, bitte.	roast potatoes
die Hähnchenbrust, ¨-e	*Ich denke, dass ich die Hähnchenbrust nehme.*	*chicken breast*
der Hering, -e	*Hering ist ein Fisch.*	*herring*
die Olive, -n	*Ich nehme einen großen Salat mit Schafskäse und Oliven.*	*olive*
die Paprikasuppe, -n	*Ich möchte die Paprikasuppe.*	*red pepper soup*
die Pfeffersoße, -n	Das Steak in Pfeffersoße sieht lecker aus.	pepper sauce
der Schafskäse (Sg.)	*Ich nehme einen gebackenen Schafskäse.*	*sheep's milk cheese*
das Steak, -s	Olli nimmt ein Steak.	steak
die Vanillesoße, -n	*Gut, dass es Rote Grütze mit Vanillesoße gibt.*	*vanilla sauce*

das Salz (Sg.)
der Löffel, -
der Teller, -
die Gabel, -n

die Serviette, -n
das Glas, ¨er (A1)
das Messer, -
der Zucker (Sg.)
der Wein, -e (A1)

5

das Kartoffelpüree, -s	*Sie möchte den Fisch mit Kartoffelpüree.*	*mashed potato*

7

der Augenblick, -e	Einen Augenblick, bitte.	moment

8

trennen: getrennt zahlen	Olli und Julia zahlen getrennt.	seperate: seperate bills
machen	Das macht 12,90 Euro.	here: referring to money as in "it comes to" or "totals"
medium	*Ich habe kein Steak medium bestellt.*	*medium*
stimmen (Restaurant)	Stimmt so!	here in the meaning of: Keep the change. That's fine.
versalzen	*Die Kartoffeln waren versalzen.*	*to put too much salt in/on*
zahlen	Wir würden gern zahlen.	to pay

9

reagieren	Reagieren Sie.	to react
die Spielanweisung, -en	*Lesen Sie die Spielanweisung.*	*game instruction*
der Start, -s	Beginnen Sie bei „Start".	start

LERNZIELE

dass	Konjunktion dass: Schade, dass es keine Pizza gibt.	that
reklamieren	*reklamieren: Der Salat war nicht frisch.*	*to complain*
Verzeihen Sie	Verzeihen Sie, aber die Suppe ist kalt.	Pardon me, I beg your pardon.

Lektion 11: Ich freue mich so.

1

der Geschäftspartner, - / die Geschäftspartnerin, -nen	Ich glaube, dass sie eine Geschäftspartnerin ist.	business partner
das Jubiläum, -äen	*Die Firma feiert ihr zehnjähriges Jubiläum.*	*anniversary*
die Pensionierung, -en	*Vielleicht feiert sie ihre Pensionierung.*	*retirement*

2

organisieren	Ich glaube, dass die Firma Hochzeiten organisiert.	to organise
restlos	*Wir sind restlos glücklich mit dir, Luisa.*	*completely*

BILDLEXIKON

die Aktentasche, -n	*Plastik- und Textilreste werden zu neuen Aktentaschen.*	*briefcase*
das Briefpapier (Sg.)	Woraus ist Briefpapier?	letter paper, writing paper
der Briefumschlag, ¨-e	Wir haben Briefumschläge aus alten Landkarten gemacht.	envelope
das Geschenkpapier, -e	Das erste Produkt der Firma war Geschenkpapier.	wrapping paper
der Notizblock, ¨-e	Aus Altpapier werden bunte Notizblöcke.	notepad
das Portemonnaie, -s	= die Geldbörse	purse, wallet
der Rucksack, ¨-e	*Woraus ist dieser Rucksack?*	*rucksack*

3

das Altpapier (Sg.)	In ihren Werkstätten wird Altpapier zu Briefpapier.	waste paper
die Arbeitsstelle, -n	*Sie können jungen Erwachsenen eine gute Arbeitsstelle bieten.*	*post, job*
das Betriebsklima (Sg.)	Das Betriebsklima ist sehr gut.	work climate, working atmosphere
der Buchdrucker, - / die Buchdruckerin, -nen	*Luisa Bauer ist gelernte Buchdruckerin.*	*(letterpress) printer*
der Bürgermeister, - / die Bürgermeisterin, -nen	Bürgermeister Ludger Rennert hat die Unternehmerin gelobt.	mayor / female mayor
die Designermöbel (Pl.)	*Aus alten Tischen und Schränken werden neue Designermöbel.*	*designer furniture*
das Engagement, -s	*Ihr Engagement ist so wichtig.*	*engagement*
der/die Erwachsene, -n	Sie können jungen Erwachsenen eine gute Arbeitsstelle bieten.	adult
die Firmengründung, -en	*Luisa hatte zwei Gründe für die Firmengründung.*	*company foundation*
das Firmenjubiläum, -äen	*Der Bürgermeister hat die Unternehmerin zum zehnjährigen Firmenjubiläum gelobt.*	*company anniversary*

gehen: durch den Kopf gehen	Zwei Gedanken sind Luisa Bauer immer wieder durch den Kopf gegangen.	here: to rush into the mind, to mull over something
die Getränkeverpackung, -en	*Getränkeverpackungen werden zu neuen Geldbörsen.*	*drinks packaging*
her·stellen	Die Firma stellt Produkte aus Müll her.	to produce
die Kleider (Pl.)	Aus Second-Hand-Kleidern wird Mode.	clothes
loben	Der Bürgermeister lobt Luisa Bauer für ihr Engagement.	to praise
die Messe, -n	*Die Produkte kann man auch auf Messen kaufen.*	*exhibition, trade fair*
die Plastik- und Textilreste (Pl.)	*Plastik- und Textilreste werden zu neuen Aktentaschen.*	*leftovers from plastic and textiles*
sinnvoll	Die Kunden können Müll sinnvoll verwenden.	useful, sensible
sozial	Umweltschutz, soziales Engagement und wirtschaftlicher Erfolg passen prima zusammen.	caring, social
topmodern	*Aus Kleider-Resten wird topmoderne Mode.*	*state-of-the-art*
der Umweltschutz (Sg.)	„Aus Alt mach Neu" ist gut für den Umweltschutz.	environmentalism
der Unternehmer,- / die Unternehmerin, -nen	Luisa Bauer ist Unternehmerin.	entrepreneur
vielseitig	*Die Arbeit ist vielseitig und interessant.*	*versatile*
der Werkstattladen, ¨	Man kann die Produkte auch im Werkstattladen kaufen.	craft shop
wirtschaftlich	*Soziales Engagement und wirtschaftlicher Erfolg passen gut zusammen.*	*economical*
zusammen·passen	Soziales Engagement und wirtschaftlicher Erfolg passen gut zusammen.	to match, to be compatible

4

froh (sein)	Ich bin froh, dass Luisa die Idee hatte.	(to be) happy
schrecklich	Ich finde es schrecklich, dass man so viel wegwirft.	awful, terrible
weg·werfen	Ich finde es schrecklich, dass man so viel wegwirft.	to discard, to bin

5

der Autoreifen, -	Was kann man aus Autoreifen machen?	car tyre
die Plastikflasche, -n	Ich glaube, dass der Stuhl aus Plastikflaschen ist.	plastic bottle
die Plastiktüte, -n	Vielleicht ist die Tasche aus Plastiktüten.	plastic bag
die Schallplatte, -n	*Was kann man aus Schallplatten machen?*	*disc*
die Schuhsohle, -n	*Woraus sind eigentlich Schuhsohlen?*	*sole of a shoe*
der Stoff, -e	Kleider sind meistens aus Stoff.	fabric, cloth
woraus	Woraus sind diese Produkte?	here: what from, what is it made of

MATERIALIEN

das Plastik (Sg.) (A1)	das Glas (Sg.) (A1)	das Holz (Sg.) (A1)

das Papier (A1)	der Stoff, -e	das Metall, -e (A1)

6

das Altmaterial (Sg.)	*Ist es normal, dass Sie so einfach Altmaterial bekommen?*	*scrap, salvage*
der Aus-alt-mach-neu-Markt, ⸚e	*Ich habe eine Idee: einen internationalen „Aus-alt-mach-neu-Markt".*	*from-old-to-new-market*
damals	Ein Schulbuch-Verlag hat uns damals 8000 Landkarten geschenkt.	back then, in those days
der Designmöbelhändler, -	*Ein Designmöbelhändler hat gesagt, dass Ihr Laden nur ein billiger Second-Hand-Shop ist.*	*designer furniture retailer*
fühlen (sich)	Ich fühle mich prima.	to feel
die Internetplattform, -en	*Ich hätte gern eine Internetplattform für Firmen wie unsere.*	*internet platform*
die Landkarte, -n	*Aus den Landkarten haben wir Geschenkpapier und Briefumschläge gemacht.*	*map*
der Schulbuch-Verlag, -e	*Ein Schulbuch-Verlag hat uns damals 8000 Landkarten geschenkt.*	*educational publishing company*
der Second-Hand-Shop, -s	*Ein Designmöbelhändler hat gesagt, dass Ihr Laden nur ein billiger Second-Hand-Shop ist.*	*second-hand-shop*
das Unternehmen, -	Seit zehn Jahren sind Sie selbstständig mit Ihrem Unternehmen.	company

TIPP

Lernen Sie Wörter mit Bewegung. Spielen Sie die Bedeutung von Wörtern.

7

die Deutschstunde, -n	Erinnerst du dich an die erste Deutschstunde?	German lesson
treffen (sich)	Ich treffe mich abends mit Freunden.	to meet
unterhalten (sich)	Unterhältst du dich oft mit den Nachbarn?	to chat
verstehen (sich)	Verstehst du dich gut mit deinen Kollegen?	to get on with someone

8

das Gästebuch, ¨-er	Willkommen im Gästebuch der Firma „Restlos Glücklich GmbH“.	guest book
das Online-Gästebuch, ¨-er	*Lesen Sie die Kommentare im Online-Gästebuch.*	*online guest book*
die Zusammenarbeit (Sg.)	Wir möchten uns für die gute Zusammenarbeit bedanken.	collaboration

LERNZIELE

der Gebrauchsgegenstand, ¨-e	Die Firma verkauft Gebrauchsgegenstände, Mode und Möbel.	article of daily use
reflexiv	*reflexive Verben: sich freuen, sich erinnern*	*reflexive*
der Zeitungsartikel, -	Überfliegen Sie den Zeitungsartikel.	newspaper article

Lektion 12: Wenn es warm ist, essen wir meist Salat.

2

bestehen (aus)	Aus wie vielen Personen besteht eine Durchschnittsfamilie?	to consist (of)
die Durchschnittsfamilie, -n	Familie Schneider ist eine Durchschnittsfamilie.	average family
verbrauchen	Wie viel verbraucht die Familie in einer Woche?	to consume, to spend

LERNZIELE

das Getreide, -	Brot macht man aus Getreide.	grain, cereal
die Limonade, -n	Männer trinken häufiger Limonade als Frauen.	lemonade
das Mineralwasser (Sg.)	Die meisten Deutschen trinken viel Mineralwasser.	mineral water
die Wurst, ¨-e	Ich glaube, dass die Deutschen viel Wurst essen.	sausage, cold meat

TIPP

Erklären Sie Wörter.

LIMONADE — Das ist ein Getränk ohne Alkohol. Es hat viel Zucker.

3

der Alkohol (Sg.)	Männer trinken rund 30 g Alkohol am Tag.	alcohol
ansonsten	*Ansonsten trinken Frauen mehr Kräuter- und Früchtetees.*	*otherwise*
aus·machen	Wasser macht davon etwa die Hälfte aus.	to account for sth.
das Bundesministerium, -ien	*Das Bundesministerium hat zur Ernährung eine Umfrage gemacht.*	*federal ministry*
durchschnittlich	Durchschnittlich essen Männer nur 29 g Fisch.	on average
empfehlen	Aber auch Frauen schaffen die empfohlene Menge nicht.	to recommend
der Früchtetee, -s	*Frauen trinken mehr Früchtetee als Männer.*	*fruit tea*

das Getreidepro-dukt, -e	Am häufigsten essen die Deutschen Brot und Getreideprodukte.	cereal products (pl.)
die Hälfte, -n	= 50 Prozent	half
häufig	Männer trinken häufiger Alkohol als Frauen.	often
heraus·finden	*Das Bundesministerium hat einige interessante Ergebnisse herausgefunden.*	*to discover, to learn sth.*
kaum	Die Deutschen essen kaum Fisch.	hardly, rarely
der Lebensmittel-Konsum	Wie sieht der Lebensmittel-Konsum in Deutschland aus?	food consumption
das Nicht-Alkoholische	*Pro Tag soll man 1,5 Liter Nicht-Alkoholisches trinken.*	*non-alcoholic*
rund (= circa)	Männer essen rund 30 g Fisch pro Tag.	around
die Spirituose, -n	*Vor allem junge Männer trinken Spirituosen.*	*spirit*
unter	Das Bundesministerium hat eine Umfrage unter Jugendlichen und Erwachsenen gemacht.	among
der Wintermonat, -e	Am meisten Obst essen die Deutschen in den Wintermonaten.	winter month
die Wurstwaren (Pl.)	Männer essen doppelt so viel Fleisch und Wurstwaren wie Frauen.	sausage and cold meats
zweimal (so viel/-)	= doppelt so viel	twice (as much)

nicht-alkoholische Getränke

der Kaffee, -s (A1)

der Tee, -s (A1)

die Limonade, -n

das Mineralwasser (Sg.)

der (Orangen-)Saft, ⸚e (A1)

alkoholische Getränke

der Wein, -e (A1)

das Bier, -e (A1)

GETRÄNKE

5

aus·suchen	Wenn ich Geburtstag habe, darf ich mir ein Essen aussuchen.	to choose, to pick
braten	Wenn Gäste kommen, brate ich Fleisch oder Fisch.	to fry, to roast
das Statement, -s	*Hören Sie die Statements von Familie Schneider.*	*statement*
zusammen·sitzen	Ich liebe es, wenn wir alle zusammensitzen.	to sit together

6

die Diät, -en	Sie machen eine Diät.	diet
die Kochgewohn-heiten (Pl.)	Was sind Ihre Ess- und Kochgewohnheiten?	cooking habits
das Menü, -s	Sie möchten ein Menü kochen.	menu
das Party-Buffet, -s	Sie machen etwas für ein Party-Buffet.	party buffet
preiswert	Das Essen soll preiswert sein.	cheap, good value
scharf	Sie möchten scharf essen.	spicy
vegetarisch	Sie möchten vegetarisch essen.	vegetarian

7

das Milchprodukt, -e	Käse, Sahne, Joghurt sind Milchprodukte.	dairy product
das Rind(-fleisch) (Sg.)	Ich esse aber zu viel Fleisch, vor allem Rind und Huhn.	beef
die Vollkornnudel, -n	*Ich esse oft Brot und Vollkornnudeln.*	*wholegrain noodle*
wahrscheinlich	Wahrscheinlich esse ich zu viel Käse.	probably

LERNZIELE

der Sachtext, -e	*Lesen Sie den Sachtext.*	*non-fictional text*
überraschen	Es überrascht mich, dass die Deutschen so wenig Fisch essen.	to surprise
die Überraschung, -en	Überraschung ausdrücken: Es überrascht mich.	surprise
wenn	Konjunktion wenn: Wenn es warm ist, essen wir meist Salat.	if, when

MODUL-PLUS FILM-STATIONEN

1

ab: ab und zu	Karotten und Zwiebeln ab und zu wenden.	every now and again, occasionally
an·dünsten	*Karotten und Zwiebeln bei mittlerer Hitze andünsten.*	*to braise lightly*
die Bratensoße, -n (Sg.)	Dunkle Bratensoße wird besonders schön, wenn Sie eine Prise Zucker unterrühren.	gravy
dazu·gießen	*150 ml Gemüsebrühe dazugießen.*	*to add*
der/das Download, -s	*Download: Einkaufszettel / Rezept*	*download*

die Einkaufsliste, -n	Von der Webseite können Sie Einkaufslisten herunterladen.	shopping list
erfahren	Hier erfahren Sie alles über die verschiedenen Apfel-Sorten.	to learn, to experience sth.
erhitzen	*Etwas Butter in einer Pfanne erhitzen.*	*to heat*
die Ernährungsumstellung (Sg.)	*So schaffen Sie die Ernährungsumstellung.*	*dietary change*
eventuell	Eventuell ein bisschen Grün stehen lassen.	perhaps
festlich	*Egal ob für die Single-Küche, ein festliches Abendessen für Gäste oder eine Party – noch nie war Kochen so einfach.*	*festive*
der Gegensatz, ⸚e	Genuss und gesundes Essen sind keine Gegensätze.	opposite
der Gehalt (Sg.)	Karotten haben einen hohen Vitamin-A-Gehalt.	concentration, content
die Gemüsebrühe (Sg.)	*150 ml Gemüsebrühe dazugießen.*	*vegetable stock*
der Genuss, ⸚e	*Genuss und gesundes Essen sind keine Gegensätze.*	*enjoyment, pleasure*
der Geschmack, ⸚er	Sie finden über 2000 Rezepte für jeden Geschmack.	taste
gleichzeitig	Schlemmen und gleichzeitig fit bleiben?	at the same time, simultaneously
herbstlich	*Herbstliche Tischdekoration mit Äpfeln und Zweigen.*	*autumnal*
die Hitze (Sg.)	Bei mittlerer Hitze andünsten.	heat
die Karotte, -n	*Für das Karotten-Rezept brauchen Sie nur eine halbe Stunde.*	*carrot*
der Knochen, -	*Karotten sind gesund für Haut und Knochen.*	*bone*
das Lieblings-Rezept, -e	Drucken Sie Ihr Lieblings-Rezept aus.	favourite recipe
der Milliliter (ml)	*150 ml Gemüsebrühe*	*millilitre*
die Pfanne, -n	Etwas Butter in einer Pfanne erhitzen.	frying pan
die Prise, -n	*Eine Prise Zucker unterrühren.*	*pinch*
herunter·laden	*Von der Webseite können Sie Einkaufslisten herunterladen.*	*to download*
saisonal	*Wir achten sehr auf saisonale Zutaten.*	*seasonal*
schaden	Schadet der hohe Zuckergehalt den Zähnen?	to harm, to damage
schälen	*Ca. 400g Karotten waschen und schälen.*	*to peel*
das Schlemmen	*Schlemmen und gleichzeitig fit bleiben?*	*feasting*
der Schritt, -e	Schritt für Schritt erklären wir die Zubereitung.	step
die Single-Küche, -n	*Rezepte auch für die Single-Küche*	*single-household*
der Smoothie, -s	*Sind Smoothies wirklich so gesund wie Obst?*	*smoothie*
die Sorte, -n	*Hier erfahren Sie alles über die verschiedenen Sorten.*	*sort, variety*
die Tischdekoration (Sg.)	*Herbstliche Tischdekoration mit Äpfeln und Zweigen.*	*table decoration*
unter·rühren	*Omas Trick: Rühren Sie eine Prise Zucker unter.*	*to stir in*
versorgen	*Äpfel versorgen uns mit wichtigen Vitaminen.*	*to provide*

der Vitamin-A-Gehalt (Sg.)	Karotten haben einen hohen Vitamin-A-Gehalt.	vitamin A content/concentration
die Zubereitung (Sg.)	Schritt für Schritt erklären wir die Zubereitung.	preparation
der Zucker- und Säuregehalt (Sg.)	Schadet der hohe Zucker- und Säuregehalt den Zähnen?	sugar and acid content
der Zweig, -e	Herbstliche Tischdekoration mit Äpfeln und Zweigen.	twig

MODUL-PLUS FILM-STATIONEN

1

das Lammfleisch (Sg.)	Lena nimmt das Lammfleisch.	lamb
der Sonderwunsch, ¨-e	Welche Sonderwünsche haben Sie im Restaurant?	special request
verbrennen	Das Essen ist verbrannt.	to burn

2

durcheinander (sein)	Der Kellner war durcheinander.	(to be) confused/ disarranged
schief: schief·gehen	Hoffentlich geht das nicht auch noch schief!	here: to go wrong
verschütten	Der Kellner hat den Sekt verschüttet.	to spill
wundern (sich)	Die vier wundern sich, dass das Restaurant so leer ist.	to be astonished

MODUL-PLUS PROJEKT LANDESKUNDE

1

die Auswahl (Sg.)	Die Kellner sind hilfsbereit bei der Auswahl des Menüs.	selection
die Bewertung, -en	Das Restaurant hat 12 Bewertungen.	rating
charmant	Das Restaurant möchte seinen Gästen hochwertige Küche in charmanter Atmosphäre bieten.	charming
empfehlenswert	Das Essen ist empfehlenswert.	highly recommended
entspannt	Wenn Sie also in entspannter Atmosphäre essen möchten, dann sind Sie im Luna genau richtig.	relaxed
das Highlight, -s	Unser persönliches Highlight war der Spargelsalat mit Ei.	highlight
hilfsbereit	Die Kellner sind hilfsbereit bei der Auswahl des Menüs.	helpful
hochwertig	Das Restaurant möchte seinen Gästen hochwertige Küche in charmanter Atmosphäre bieten.	high quality
das Schanzenviertel	Das Luna im Schanzenviertel: ein charmantes Restaurant mit sehr guter Küche.	city district in Hamburg
der Spargelsalat, -e	Unser persönliches Highlight war der Spargelsalat mit Ei.	asparagus salad
stilvoll	Das Luna ist stilvoll eingerichtet.	classy, stylish

2

die Pizzeria, -s / Pizzerien	*Pizzeria Roma*	*pizzeria*
die Restaurantbewertung, -en	*Diskutieren Sie über die Restaurantbewertung.*	*restaurant rating*
der Restaurantführer, -	Machen Sie einen Restaurantführer im Kurs.	restaurant guide
der Stern, -e	Für das Essen würde ich fünf Sterne geben.	star

MODUL-PLUS AUSKLANG

1

das Genie, -s	*Ich fühle mich nicht als Genie.*	*genius*
die Hauptspeise, -n	Und dann die Hauptspeise!	main course
das Liebesgedicht, -e	*Bei ihm ist ein Menü wie ein Liebesgedicht.*	*love poem*
der Marathonlauf, ¨-e	Den Marathonlauf schaffe ich nie.	marathon
die Nachspeise, -n	Zum Schluss gibt es die Nachspeise.	dessert
das Sixpack, -s	*Ich weiß, dass ich keinen Sixpack habe.*	*six pack*
stören	All diese Fehler stören mich nicht.	to disturb

Lektion 10: Gut, dass du reserviert hast.

Conjunction dass

The conjunction **dass** (*that*) introduces a subordinate clause of a compound sentence and it often answers the question **Was?** (*What?*). A dependent clause with **dass** is almost always second and its verb will be placed at **the very end**.

Ich denke, dass dieses Restaurant nicht so gut ist.	*I think that this restaurant is not that good.*
Ich hoffe, dass sie wenigstens Pommes haben.	*I hope that they at least have fries.*

Lektion 11: Ich freue mich so.

Reflexive verbs

Reflexive verbs are used together with **reflexive pronouns** which refer (or "*reflect*") **back to the subject** of the sentence.

Reflexive pronouns in English end with *-self* in singular or *-selves* in plural.

For example: **I** (1st person singular) – **myself** (reflexive pronoun) → ***I enjoy myself***. There are not many reflexive verbs in English, but they are very common in German.

Reflexive verbs in German are used together with the reflexive pronoun **sich** which also changes its form to correspond with the person and the number.

Reflexive pronouns		
singular	ich fühle	**mich**
	du fühlst	**dich**
	er/sie fühlt	**sich**
plural	wir fühlen	**uns**
	ihr fühlt	**euch**
	sie/Sie fühlen	**sich**

Common reflexive verbs in German are:

sich fühlen Ich fühle mich nicht so gut.	*to feel* *I don't feel so well.*
sich ärgern Ich ärgere mich überhaupt nicht.	*to be annoyed, to get angry* *I am not angry at all.*
sich erinnern Erinnerst du dich an deine erste Arbeitsstelle?	*to remember, ro recall* *Do you remember your first job?*

sich freuen auf
Er freut sich auf den Urlaub.

to look forward to
He's looking forward to going on holiday.

sich freuen über
Sie freut sich sehr über das Geschenk.

to be glad about sth., to be pleased with sth.
She's very pleased with the present.

sich entschuldigen
Wir möchten uns für die Verspätung entschuldigen.

to apologise
We would like to apologise for being late.

sich unterhalten
Wir haben uns gestern prima unterhalten!

to have a chat
We had a lovely chat yesterday!

sich treffen
Trefft ihr euch heute mit dem Professor?

to meet, to join up
Will you meet the professor today?

sich streiten
Sie sollten sich mit Ihrem Chef nicht streiten.

to argue
You shouldn't argue with your boss.

sich beschweren
Ich möchte mich über den Kundenservice beschweren.

to complain, to make a complaint
I'd like to make a complaint about customer service.

Lektion 12: Wenn es warm ist, essen wir meist Salat.

Conjunction wenn

The conjunction **wenn** (*when, if*) introduces a subordinate clause of a compound sentence. It describes **when** the action can be carried out and **under what condition.** The verb in the subordinate clause will always be at **the very end of it.**

Wir essen zusammen Eis, wenn meine Freunde kommen.

We'll eat ice cream together when my friends come over.

The clause with **wenn** is very often placed first! When the sentence **begins with a subordinate clause** (that also means, it begins with a **conjunction**) the whole subordinate clause is treated as the **first place** in the sentence. Therefore, **the main clause starts with a verb** straight after the comma.

Wenn meine Freunde kommen, essen wir zusammen Eis.

When my friends come over, we'll eat ice cream together.

From Currywurst to Döner: Street food in German-speaking countries

An informal and inexpensive alternative to eating in a restaurant is the so-called *(Schnell)-Imbiss (=fast bite)*, which can be found in a regular shop or as a food stall in the streets, at markets or in front of department stores. The most popular food item is the sausage, typically served with a roll and mustard, or a choice of French fries (*"Pommes"*) or potato salad *(Kartoffelsalat)*. The extensive selection of sausages includes varieties in flavour, shape and preparation method. A *Bockwurst*, also called *a Frankfurter* or *Wiener* is a mild, cooked sausage, while the traditional *Bratwurst* is a more spicy, grilled sausage, which goes especially well with beer. Regional specialties include the *Thüringer Rostbratwurst*, produced in Thuringia, and the smaller *Nürnberger Bratwurst*, from the city of Nuremberg.

An exotic sausage version is the *Currywurst*, served with a fruity tomato sauce and curry powder plus French fries. Since the release of the novel *Die Entdeckung der Currywurst* (The invention of the Currywurst) by Uwe Timm in 1993, the origin of the *Currywurst* has frequently been discussed. Set in the last days of the Second World War, the book tells the inspiring story of the fictional character Lena Brücker, who opens a shop in Hamburg that serves *Currywurst* already in 1947. In contrast, the actual inventor, Herta Heuwer, patented her *Currywurst* with the name Chillup© in 1959 in Berlin. Perhaps the culinary appeal of the *Currywurst* rests on the fusion of exotic heat, sweet tomato and smoky, salty sausage flavor, complemented by crispy fries. Considered by some to be "junk food", the *Currywurst* has reached cult status at least in Berlin and is a must-have for every tourist there. In August, 2009, the German *Currywurst Museum* in Berlin opened its doors to visitors.

Other popular items offered in a Schnell-Imbiss are *Frikadellen* also called *Buletten* (in Berlin) or *Fleischpflanzerl* (in Bavaria). Similar to a hamburger, this delicious meat ball made of pork and beef can be eaten in a roll or along with *Krautsalat* or *Kartoffelsalat*.

A *Fleischkäse*, *Leberkäse* or *Leberkaas* is a thick slice of a mild tasting type of meatloaf on a bread roll, served with mustard, and is particularly popular in southern Germany and Austria. As the name indicates, it has some liver content.

The varieties of *Schnitzel* found in Austria and Germany range from the classic *Wiener Schnitzel*, made from veal, to *Schnitzel Wiener-Art*, made from pork, to *Jäger Schnitzel*, which is served with a mushroom gravy, to more exotic variations such as *Schnitzel Hawaii*, which includes pineapple and ham.

Some *Schnell-Imbiss* specialize in *Hähnchen* – roasted chicken often spiced with paprika.

Fisch-/Krabbenbrötchen is fish or crabs in a bread roll. Pickled, smoked or creamy, the seafood options are more typical in Northern Germany due to the proximity to the ocean and the availability of fresh fish.

Although not as widely available, vegetarian and vegan alternatives to sausages and patties can be found as well. Pizza-style baked goods and cheesy *Laugenweck* are tasty snacks available in bakeries.

In recent years, the *Döner Kebap* (Turkish „turning grilled meat") has gained enormously in popularity. *Döner shops* are proliferating, especially in bigger cities with a diverse population. This specialty consists of Turkish flat bread filled with spiced meat, onions, lettuce, cabbage, tomato and cucumber covered with a yogurt garlic sauce. Invented in the early seventies by Kadir Nurman in Berlin, the *Döner* is an adaptation of the original Turkish dish in a takeaway sandwich form to suit the busy lifestyle of workers and citizens. Nurman also developed the spinning metal spit that grills the meat steadily. Soon enough, the new Turkish specialty caught on and was copied widely. Aside from the original version with lamb, the meats nowadays include veal, beef and poultry such as turkey and chicken.

Interestingly, Germany's two favorite fast food items and the culture surrounding them have inspired songs and feature films. The funny lyrics of Herbert Grönemeyer's *Currywurst* song and Tim Toupet's *Ich bin ein Döner*, as well as the 2008 film *Die Entdeckung der Currywurst*, directed by Ulla Wagner, and the 2005 intercultural comedy *Kebab Connection*, directed by Anno Saul, offer an entertaining glimpse into modern German culture.

Upcycling – a new trend in ecologically sustainable and fair consumer products

Earlier in this glossary we talked about the elaborate recycling system in German-speaking countries and that people widely participate in sorting garbage in various recyclable materials. Recycling helps save energy and reduce pollution and greenhouse gas emissions by reusing materials. But did you ever realize that recycling very often is actually "downcycling"?

In the classical recycling process, the material of a former object of utility is chopped up and mixed with other particles of the same kind to produce something new with a lower value. However, as many examples worldwide show, more can be achieved with recyclable materials. When old materials are used to create a product of higher value that may be entirely unrelated to the original use of the material one speaks of "upcycling".

In 1994, Reiner Pilz, a German engineer, coined the term "upcycling" to describe this action of environmentally friendly repurposing of materials. The basic underlying idea is to prevent wasting materials that can still be applied for different uses.

Twenty years later, the Munich Trade Fair opened its doors to the 1st Upcycling Design Trade Fair that exhibited all kinds of original products, from purses made of cement bags and necklaces made of resistors, to stylish glasses cut out of old glass bottles and jazzy liqueur cabinets made of converted oil barrels.

There is no limit to creativity for new arts and design products made from old materials. Purchasing upcycled products feels rewarding to consumers who want to support a sustainable lifestyle, and it can be great fun for everyone. Over the last few years, the movement of "upcycling" in German-speaking countries has gained momentum through social networks where people share their ideas with each other to make changes in our consumer society.

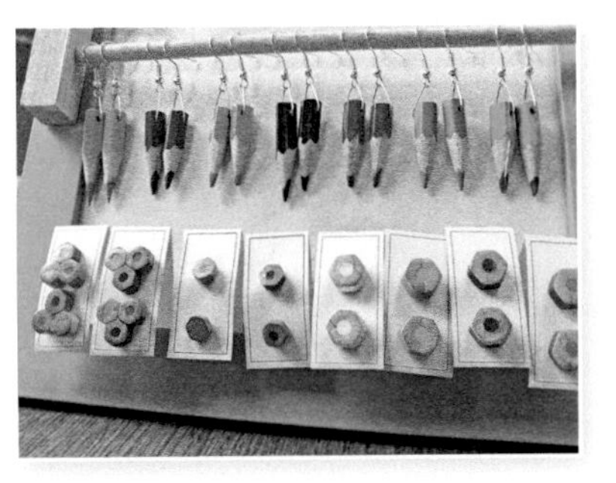

Sauerkraut – a probiotic superfood

Sauerkraut is a traditional German dish typically consumed in the colder winter months with mashed potatoes and smoked pork or sausages. *Sauerkraut* can be eaten cooked as a main meal or raw as a salad. Its distinct sour flavor is the result of a fermentation process. Finely shredded white cabbage is sprinkled with salt, crushed to release juices and layered in an airtight container. After 4 to 6 weeks the *Sauerkraut* is ready. The method of curing vegetables through fermentation was actually discovered by the Chinese who added rice wine to cabbage back when the Great Wall of China was being built. Mongolians then introduced it to Europe in the 13th century. A staple in Germanic and East European cuisine, *Sauerkraut* also found its way into American cuisine as a condiment, for example in the Reuben sandwich.

Rich in Vitamin C and B12, fiber and lactobacilli, and low in calories, *Sauerkraut* is a super food that is good for the immune system and digestive tract, a fact already known centuries ago by Germanic peoples, who ate it to prevent vitamin deficiency in winter when fresh vegetables were not as available. Similarly, James Cook took it on sea voyages to feed his sailors in order to prevent scurvy. During World War One, the British and the Commonwealth called Germans "Krauts" because they ate so much cabbage! The American army picked up the derogatory nickname in World War Two – a memory only now beginning to fade in the collective memory of Germans. Nevertheless, *Sauerkraut* is mainly associated in Germany with home cooking and regional specialties such as *Eisbein* (in Northern Germany, especially Berlin) or *Schweinshaxe* (pork knuckles, Bavaria) ... but who knows, its probiotic quality, which it shares with foods such as kefir and yoghurt, may inspire new culinary trends!

If you want to try *Sauerkraut*, you should look for the fresh variety, usually available in bags at markets, in delicatessens or grocery stores. The pasteurized *Sauerkraut* in cans or preserved glasses, while tasty, no longer has the same health benefits of the lactobacilli as the fresh *Sauerkraut*. To cook it, simply sauté an onion until translucent, add the *Sauerkraut*, cover with water or broth and let it simmer over low heat for 40 minutes or until soft to your liking. Basic spicing includes salt, one chopped peeled apple, and some juniper berries. A variation for more festive occasions, for example on New Year's Day, is to cook it with some sparkling wine and chopped pineapple. Smoked pork loin or pork chops can be added to the pot during the last 20 minutes of cooking. *Guten Appetit!*

Cover: © gettyimages/Andreas Kindler

Seite 14: Großeltern © fotolia/Karl Naundorf; Opa © fotolia/Alexander Raths
Seite 19: Stuhl © PantherMedia/Ralph Rösch; Gebäude © Thinkstock/iStock
Seite 20: Küste © fotolia/Conny Hagen; Strand © PantherMedia/Thomas Nagel
Seite 21: © Thinkstock/iStock
Seite 30: © Thinkstock/iStockphoto
Seite 34: Köln © iStockphoto/schmidt-z
Seite 36: © iStockphoto/SkyF
Seite 37: oben © iStock/no_limit_pictures; unten © PantherMedia/Christa Eder
Seite 38: © PantherMedia/Wolfgang Cibura
Seite 53: © Thinkstock/Stockbyte
Seite 54: © Glow Images/Hartmut Schmidt
Seite 67: © Thinkstock/Stockbyte/Ciaran Griffin
Seite 69: oben © Thinkstock/iStock; unten © iStockphoto/DirkRietschel
Seite 70: oben © fotolia/Anne Katrin Figge; unten © PantherMedia/Oliver Thomann
Seite 71: oben © www.muschelfee.de; unten © fotolia/Barbara Pheby

Bildredaktion: Iciar Caso, Hueber Verlag, München